はじめに

大学入試改革をはじめとするわが国の教育制度は、目まぐるしくアップデートが繰り返されており、低年齢のお子様を取り巻く教育環境の変化のスピードも、年々加速しているように思われます。しかし、時代や状況がどのように変化しようとも、お子様たちにとって（もちろん私たちにも）大切なのは「考える力」であると、私は考えています。

本書では、お子様の右脳にアプローチしながら「考える力」を涵養(かんよう)するための問題を掲載しています。図形、記号、概念への直感的な観点から思考力を養成する内容で主に構成していますが、たとえば「直感」といっても、論理や理屈を無視してあてずっぽうに正解しても、それで「頭を使った」ことにはなりません。真の目的は、どのような問題に対しても、きちんと右脳と左脳、つまり全脳を使って考える力を育てることです。

頭の中のイメージだけで理解することが難しければ、折り紙や積み木を実際に使って考えるよう促してみてください。そうした経験は将来的に、お子様が自ら勉学に取り組んでいく力へとつながっていくでしょう。

小学校中～高学年になると、学習もぐんと難しくなります。そんなとき、本書で養われた「考える力」「がんばる力」「やりとげる力」が、きっと役に立ちます。そして将来、困難に直面したときにも、自分でそれを乗り越える力が、立派に発揮されることでしょう。

知能研究所所長　市川 希

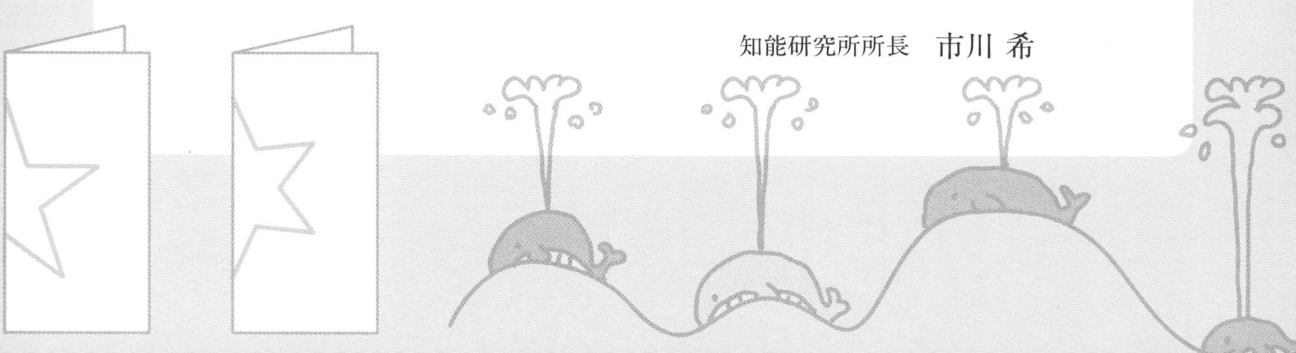

「右脳」を刺激して「考える力」を身につけましょう

「右脳」と「左脳」のバランスが大切

人間の脳に「右脳」「左脳」という役割分担があることを発見したのは、1981年にノーベル生理学・医学賞を受賞したアメリカの神経心理学者、ロジャー・W・スペリーです。そこから「右脳・左脳」への関心が高まり、今では、「右脳」は非言語性、感覚性、音楽・絵画性などを司る部位であり、「左脳」は数学的、論理的、言語的な機能を持つ部位であることが、よく知られています。

従来の社会では、「論理的思考」「ロジカル・シンキング」、つまり「左脳」による考え方が重視されてきた傾向がありますが、特に近年は、それら「左脳思考」を超克（ちょうこく）するものとしての「右脳思考」が注目されるようにもなっています。

しかし、私たちにとって本当に大切なのは、「右脳だけ」でも「左脳だけ」でもありません。両方の脳が適切にパフォーマンスを発揮できることが、これからの時代に必要な「脳力」なのです。

「3つの概念」が「考える力」を育てる

「人間は考える葦（あし）である」。これは、フランスの思想家・パスカルの言葉です。人間は宇宙や大自然の中では弱く小さな存在かもしれないが、人間だけができる「考えること」にこそ、人間の偉大さや尊厳がある――つまり「考える力」は、私たち人類の「宝」と言っても過言ではないのです。

人間がものを考えるときには、必ず3つの知能領域を材料としています。その3つとは、「図形」（ものの形で考えたり覚えたりする力）、「記号」（色・数・音で考えたり覚えたりする力）、「概念」（言葉の意味で考えたり覚えたりする力）です。

本書では、この3つの知能領域をバランスよく刺激できるよう意図して、問題を構成しています。「考える力」の基礎となる「図形」「記号」「概念」へは、「右脳」「左脳」どちらからもバランスよくアプローチすることが理想ですが、特に本書が対象とするようなお子様が低年齢のうちは、「右脳」からのアプローチがいっそう効果的であることから、本書の問題も「右脳」からのアプローチを重視した構成となっています。

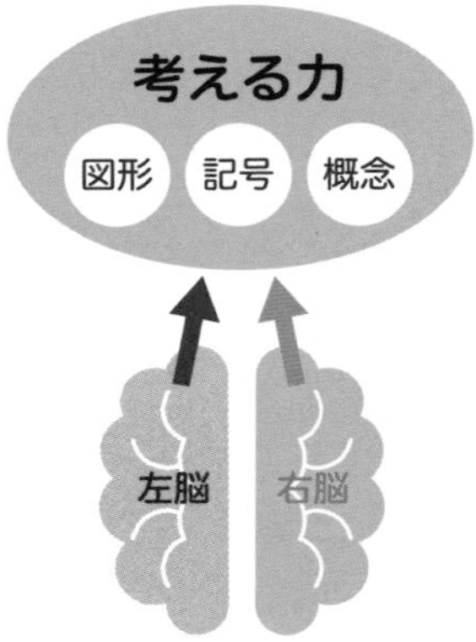

さっそく取り組んでみましょう

お子様が問題を解けなくても、簡単に答えを教えるのではなく、保護者の方も一緒に折ったり切ったり書いたり、知らない言葉が出てきたら図鑑を見たりすることで、理解を深めることが大切です。

そして、できた・できないではなく、プロセスを大切にして、がんばっているお子様の姿を褒めてあげてください。そのがんばりが報われる経験が、お子様の「自己肯定感」を育み、新しい課題や難しい問題にも自ら考え、工夫する姿へとつながります。

ではさっそく問題に取り組んで、お子様と楽しい時間を過ごしながら、「考える力」を身につけるサポートをしてあげてください。

本書の使い方

より効果的に「右脳」と「考える力」を鍛えるために

- ☑問題は 366 日分あります。できれば毎日、1 問 1 分以内を目安に取り組みましょう。
- ☑解答欄に記入できないときは、絵に○をつける、指で差し示すなどの方法でも結構です。
- ☑問題が解けたら、保護者の方が答え合わせをしてあげてください。
- ☑一度に数日分を解いても差し支えありません。その際は、1 問解くごとにではなく、解いた分をまとめて答え合わせをするとよいでしょう。
- ☑ 366 日目までひと通りできたときは、目標時間を短くするなどして 2 回目に挑戦してみましょう。鉛筆で記入することで、答えを消しながら繰り返し利用できます。
- ☑本書の問題は、主に幼児（年中児）から小学校低学年を対象としていますが、「右脳」と「考える力」のレベルに年齢は関係ありません。保護者の方も一緒に楽しめる内容になっていますので、大人の「右脳」と「考える力」を鍛えることもできます。中には、保護者の方のほうが解くのに時間がかかる問題もあるはずです。
- ☑問題は日数が進むにつれて難度が高いものが増えていきます。1 日目から取り組むことを推奨しますが、子どもによって理解度は異なりますので、できそうな問題、やりたい問題から取り組んでもよいでしょう。年齢などによっては、まだ理解が難しい問題があるかもしれませんが、その際も無理をせず、楽しめる問題にだけ取り組んでも結構です。
- ☑折り紙や積み木の問題や展開図の問題は、実物を使ってみるなどして実際に確かめると、理解が進みます。

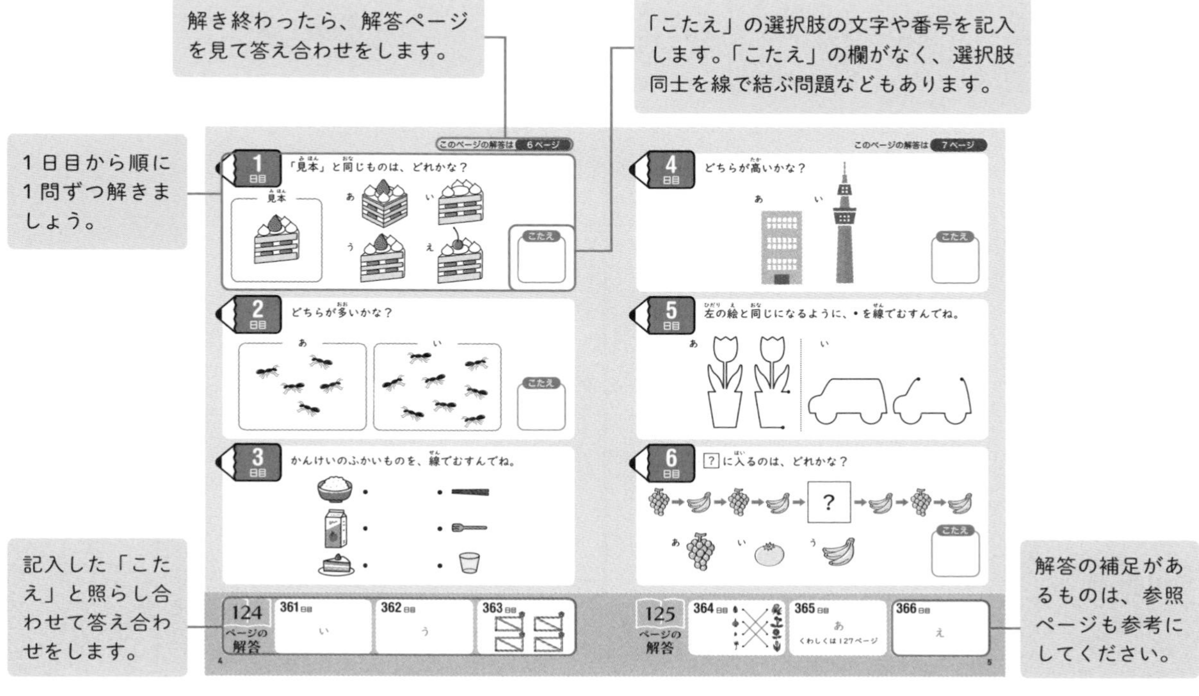

このページの解答は 6ページ

「見本」と同じものは、どれかな？

あ
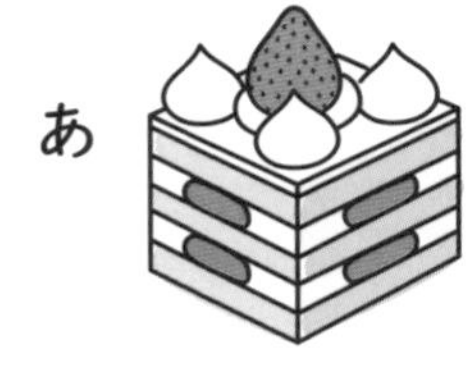

い
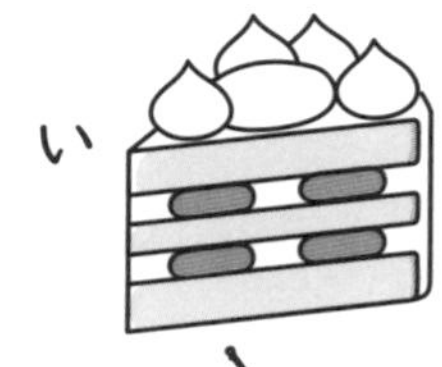

う
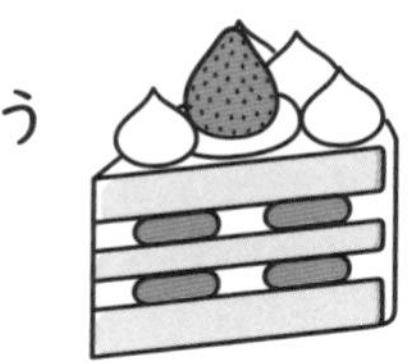

え

2
日目

どちらが多いかな？

あ
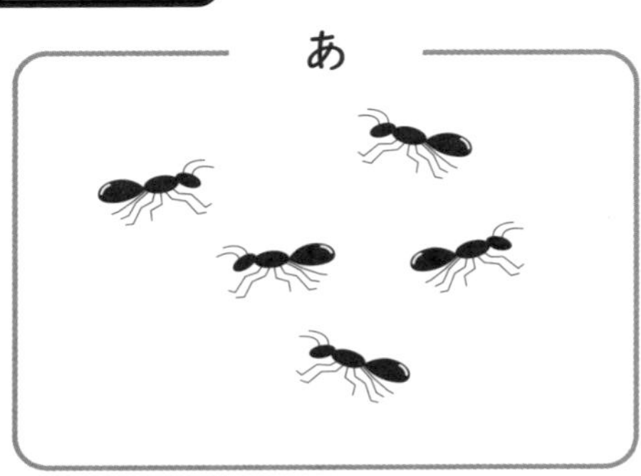

い

3
日目

かんけいのふかいものを、線でむすんでね。

 ● ● 

 ● ● 

 ● ● 

124
ページの
解答

361日目
い

362日目
う

363日目

どちらが高(たか)いかな？

あ

い

5日目 左(ひだり)の絵(え)と同(おな)じになるように、•を線(せん)でむすんでね。

あ

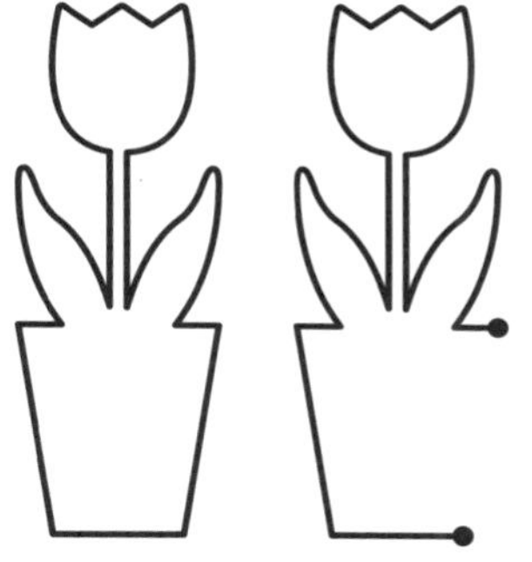

い

6日目 ? に入(はい)るのは、どれかな？

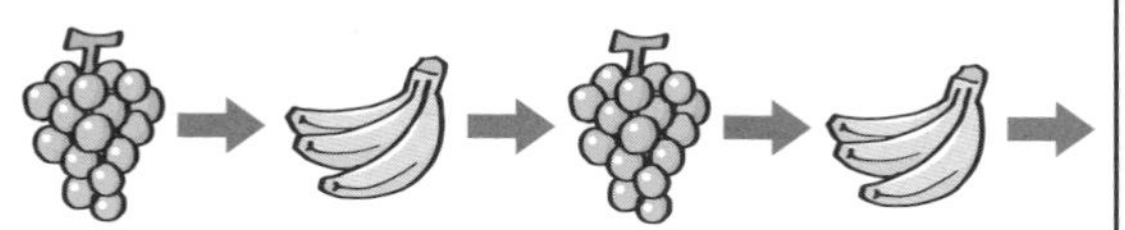

あ

い

う

125 ページの解答

364日目

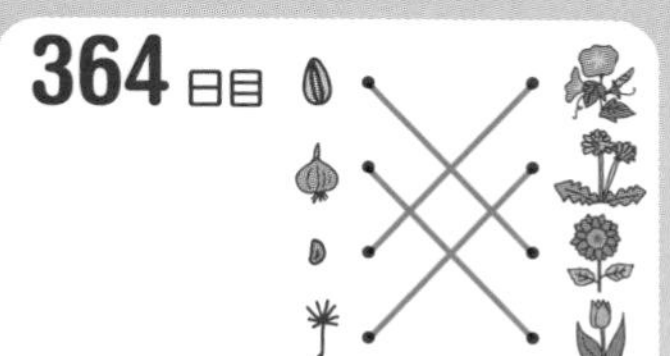

365日目

あ

くわしくは127ページ

366日目

え

このページの解答は　8ページ

りんごはぜんぶで何(なん)こあるかな？

あ 

い 

う 

え 

8
日目

女(おんな)の子(こ)から、ぞうはどんなふうに見(み)えているかな？

あ 

い 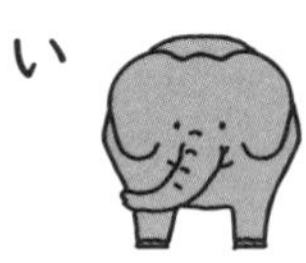

う 

え 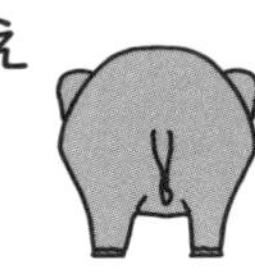

9
日目

色(いろ)がついているところが広(ひろ)いのは、どちらかな？

あ

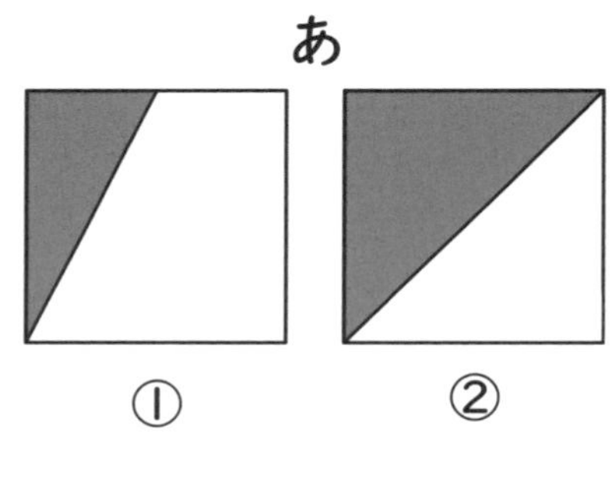

① ②

い

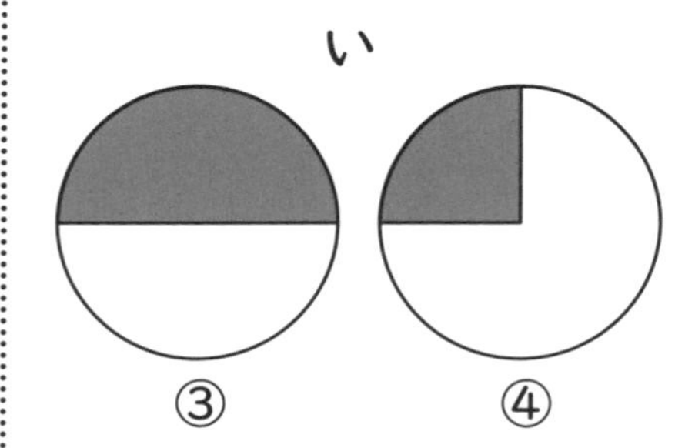

③ ④

4ページの解答

1日目　う

2日目　い

3日目

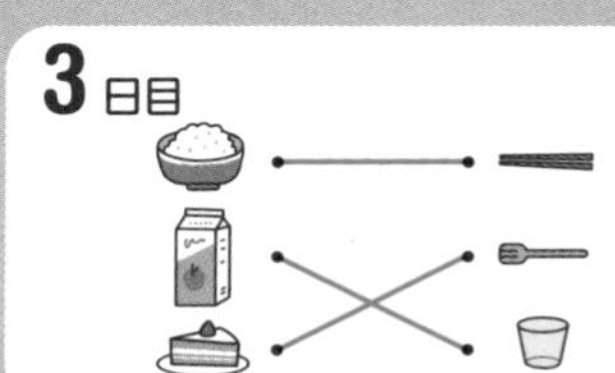

このページの解答は 9ページ

「見本」と同じものは、どれかな？

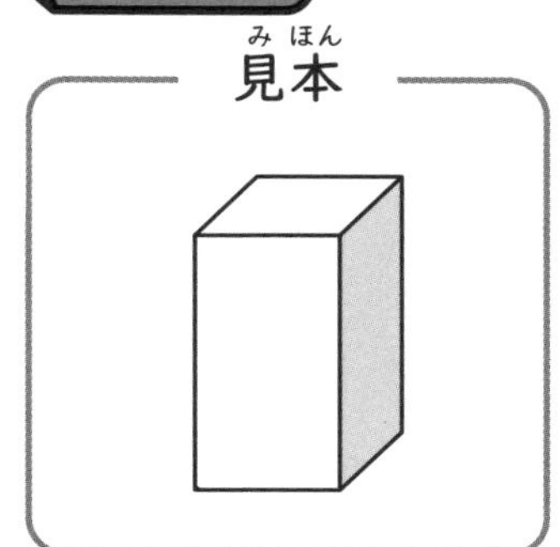

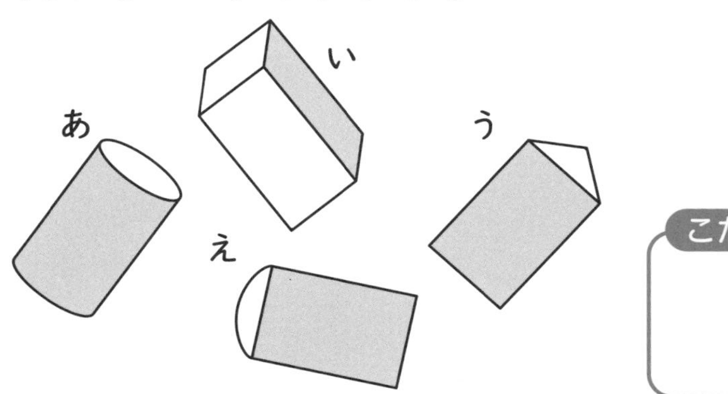

こたえ

ものにじゃまされずに、さるがバナナを手に入れるには、どの道をとおったらいいかな？

12
日目

右の絵と左の絵には、ちがうところが3つあるよ。どこかな？　右の絵に○をつけてね。

5
ページの
解答

4日目
い

5日目

6日目
あ

このページの解答は 10ページ

13日目

ボールを「たな」の下(した)から2だん目(め)にかたづけるよ。かたづけるところに○を書(か)いてね。

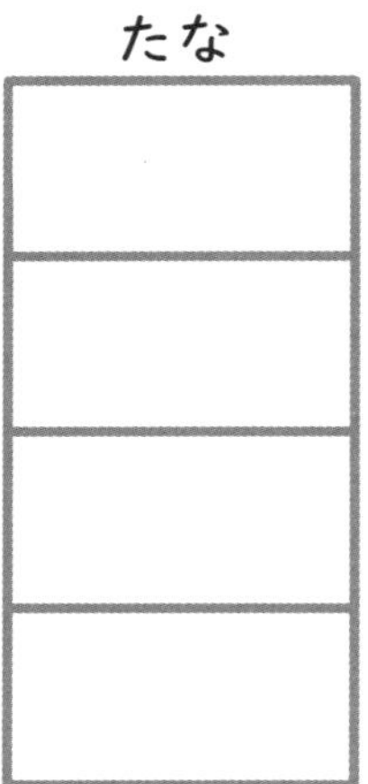

14日目

同(おな)じどうぶつの頭(あたま)としっぽを線(せん)でむすんでね。

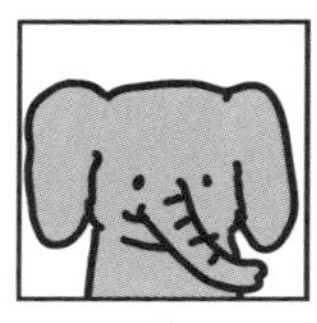

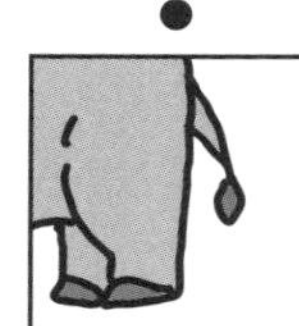

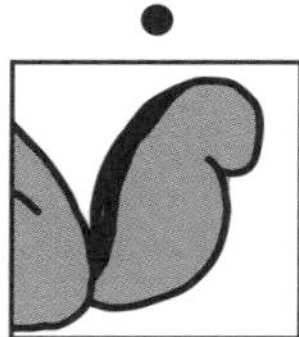

15日目

高(たか)いじゅんにならべてね。

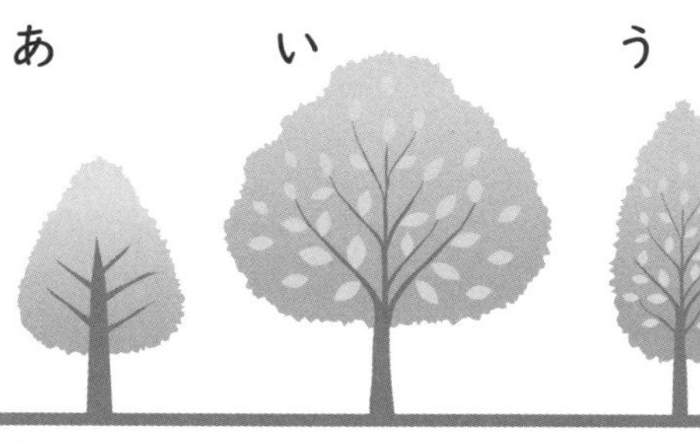

こたえ

→ → →

6ページの解答

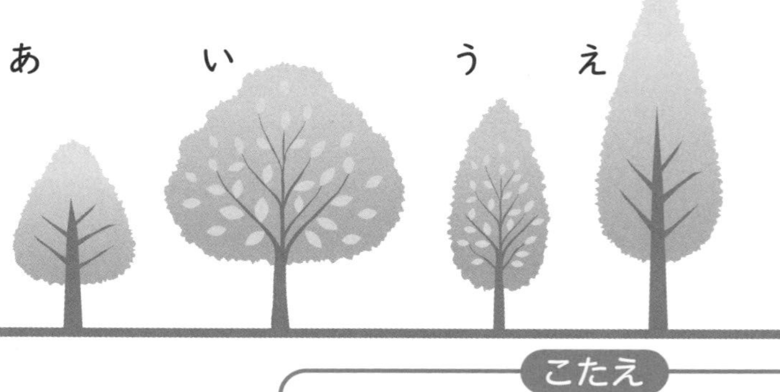

7日目	8日目	9日目
い	え	あー② いー③

このページの解答は 11 ページ

おもいのは、どちらかな？

「見本(みほん)」と同(おな)じものは、どれかな？

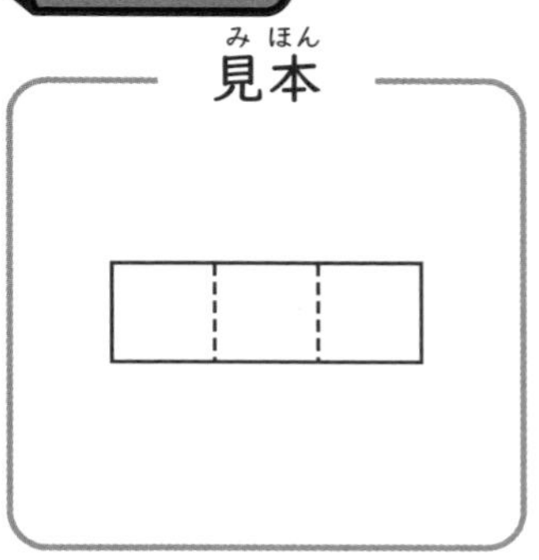

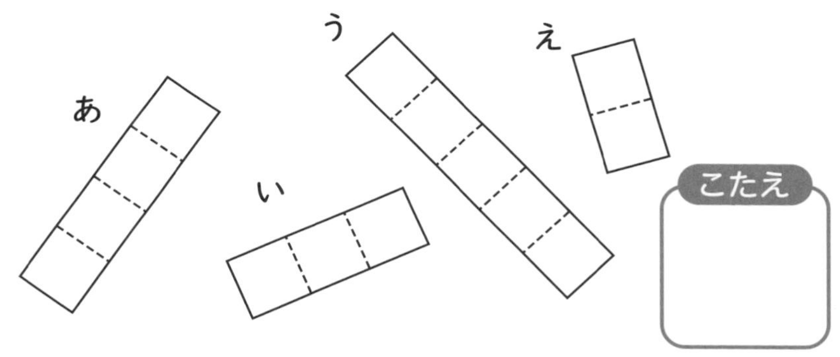

「見本(みほん)」は、どのはきもののかげかな？

あ

い

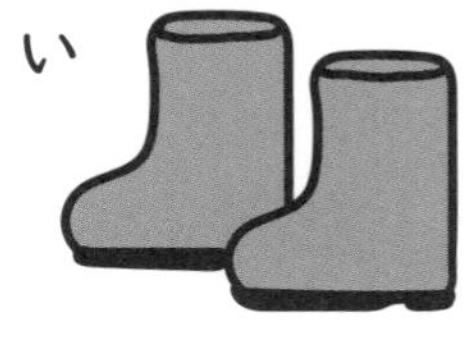

う

え

7 ページの解答

10 日目

い

11 日目

12 日目

このページの解答は 12ページ

19日目

さくらんぼの下に○、バナナの下に×を書いてね。

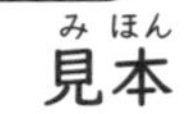

見本

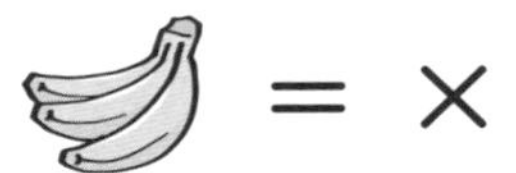

20日目

１つだけなか間ではないのは、どれかな？　さがして×をつけてね。

あ

い

う

21日目

数が多いのは、どちらかな？

あ

い

8ページの解答

13日目

14日目

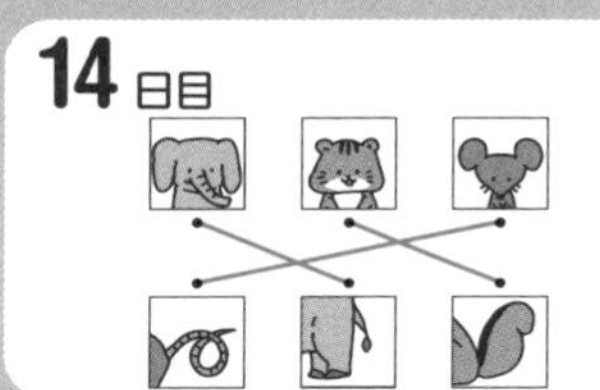

15日目

え→い→う→あ

このページの解答は 13ページ

22 日目

「見本（みほん）」と同（おな）じものは、どれかな？

見本（みほん）

あ

い

う

え

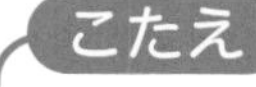

こたえ

23 日目

●を線（せん）でむすんで、「見本（みほん）」と同（おな）じ形（かたち）を書（か）いてね。

見本（みほん）

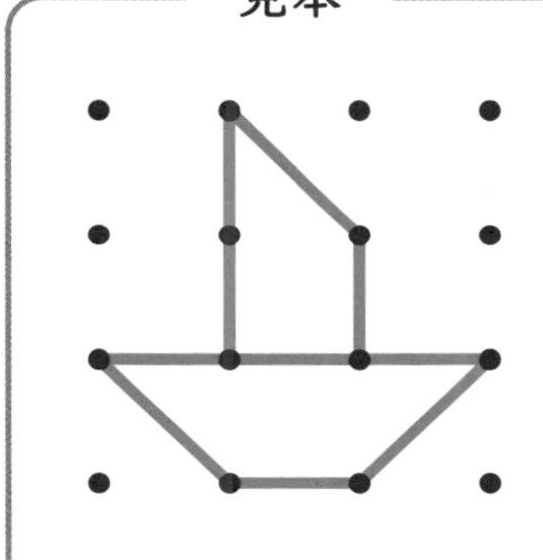

24 日目

ひもを――で切（き）ると、何本（なんぼん）になるかな？　りんごの数（かず）が同（おな）じものをえらんでね。

あ 

い 

う 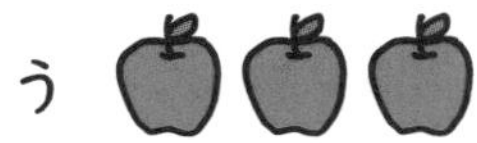

え 

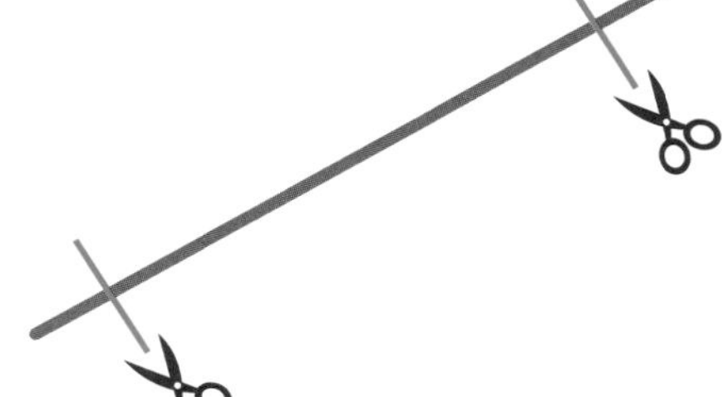

こたえ

9ページの解答

16日目	17日目	18日目
あ－②　い－③	い	う

このページの解答は 14ページ

25日目

かんけいのふかいものを、線でむすんでね。

26日目

同じ数のものを、線でむすんでね。

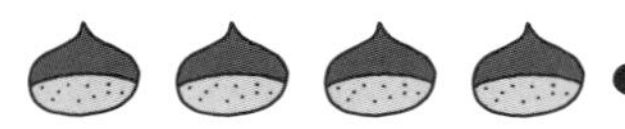

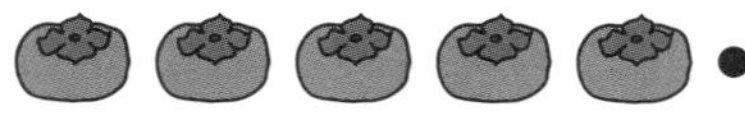

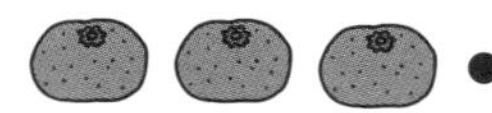

27日目

「見本」と同じものは、どれかな？

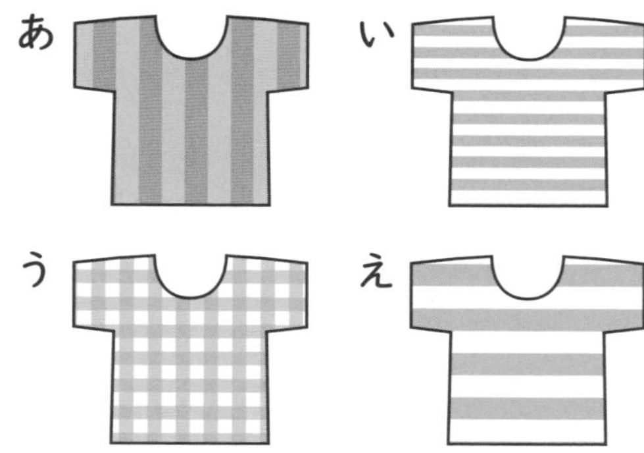

10ページの解答

19日目

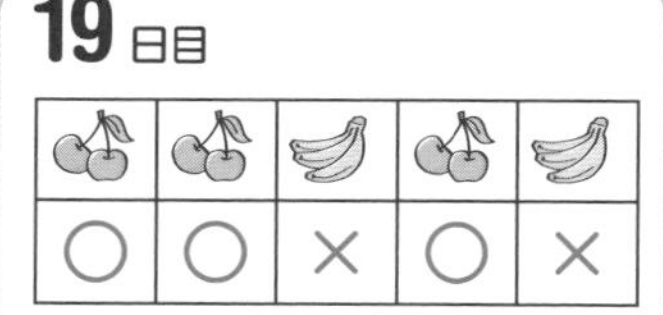

○	○	×	○	×

20日目

21日目

い

このページの解答は 15ページ

28日目

ビー玉をひとり２こずつくばると、何人に分けられるかな？

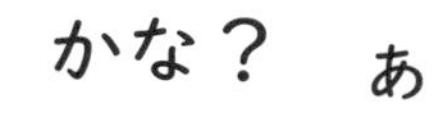

ビー玉

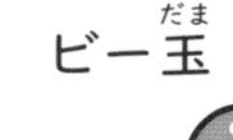

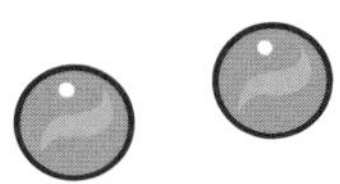

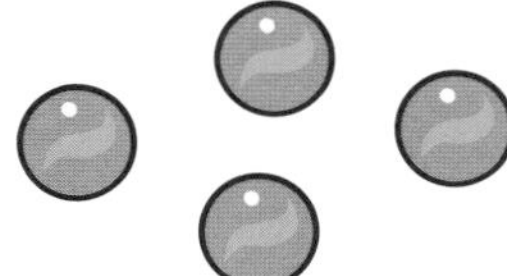

あ

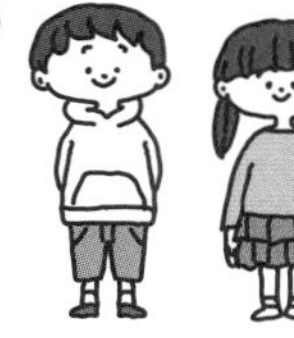

い

う

29日目

同じどうぶつの前と後ろは、どれとどれかな？

30日目

「見本」の形を組み合わせてできるのは、どれかな？

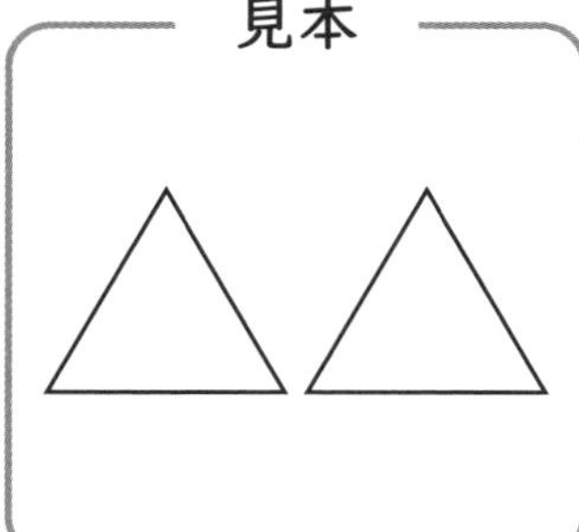

あ

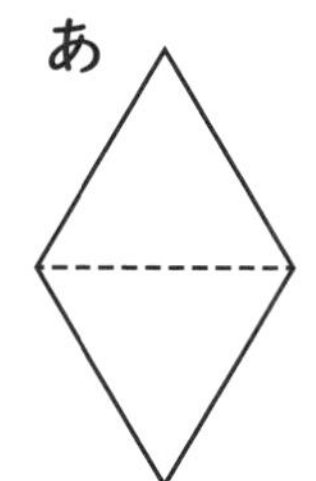

い

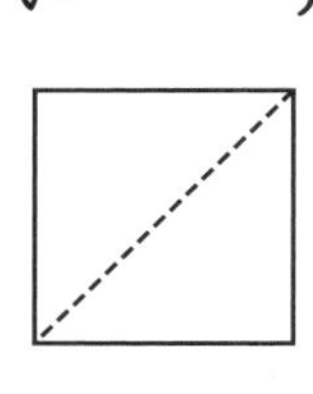

う

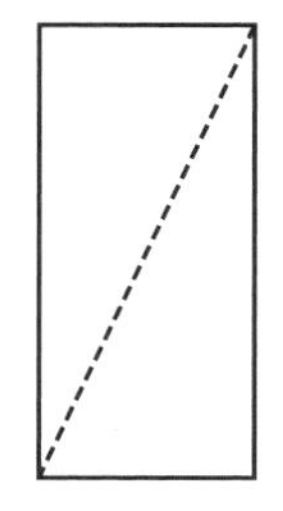

え

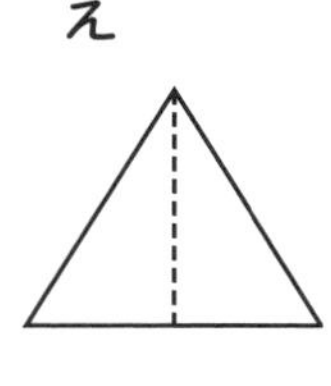

11ページの解答

22日目 え

23日目

24日目 う

このページの解答は 16ページ

31日目

黒(くろ)くぬった2まいのとう明(めい)な紙(かみ)をそのままかさねると、どんなふうに見(み)えるかな？

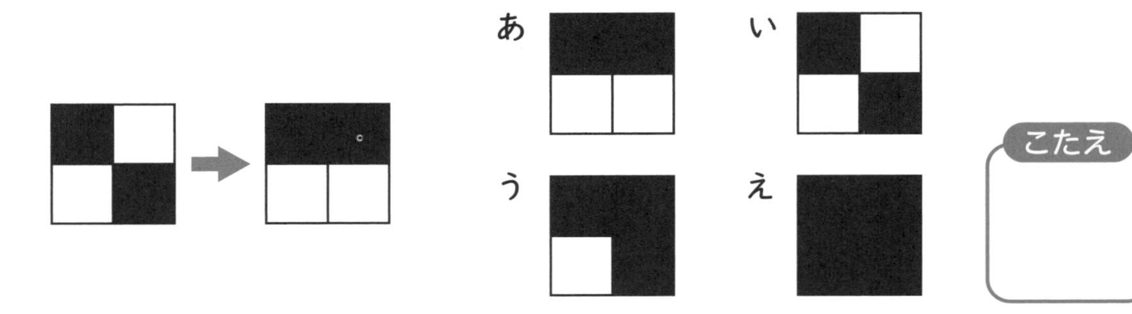

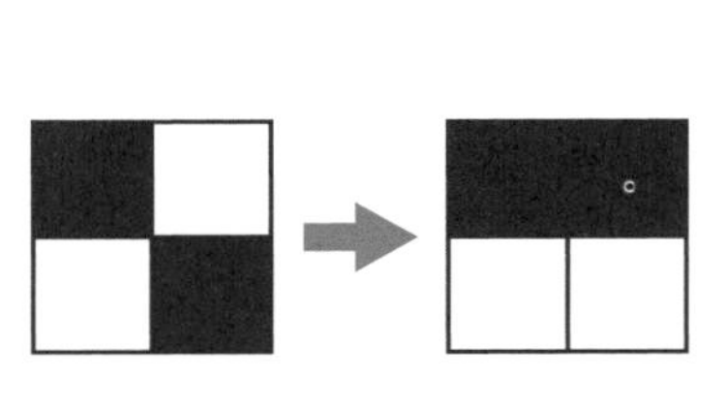

あ 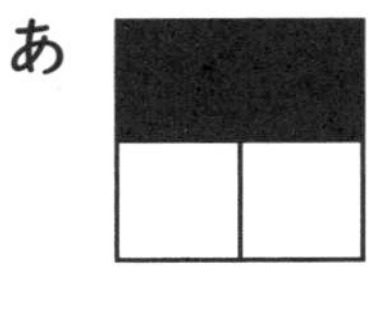

い 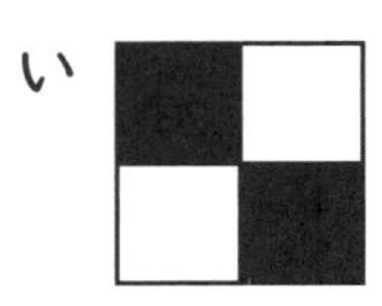

う 

え 

こたえ

32日目

？に入(はい)る絵(え)は、どれかな？

あ 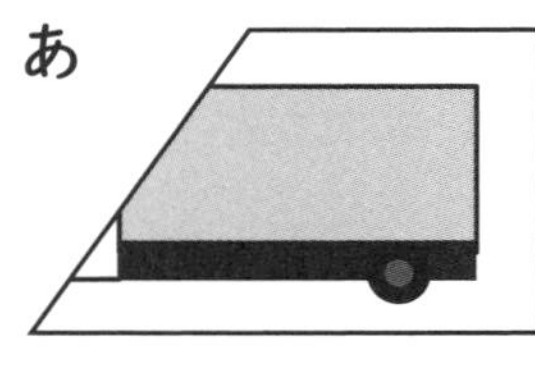

い 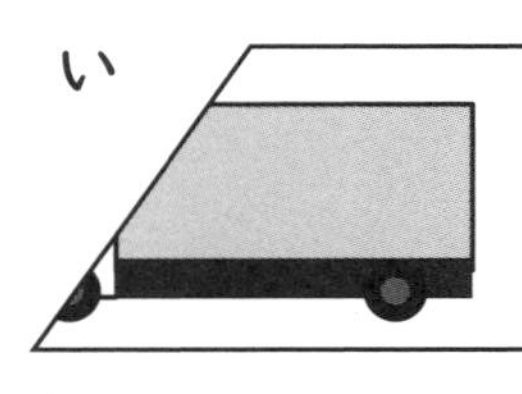

う

え 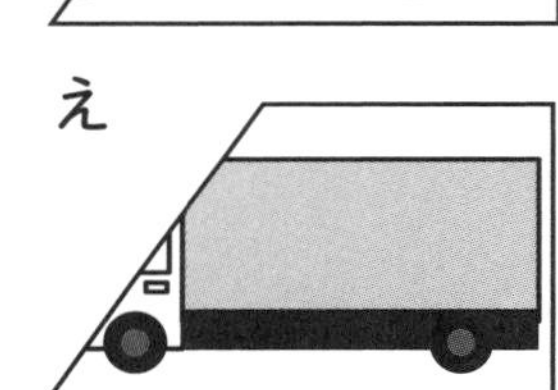

こたえ

33日目

じゅん番(ばん)にならべてね。

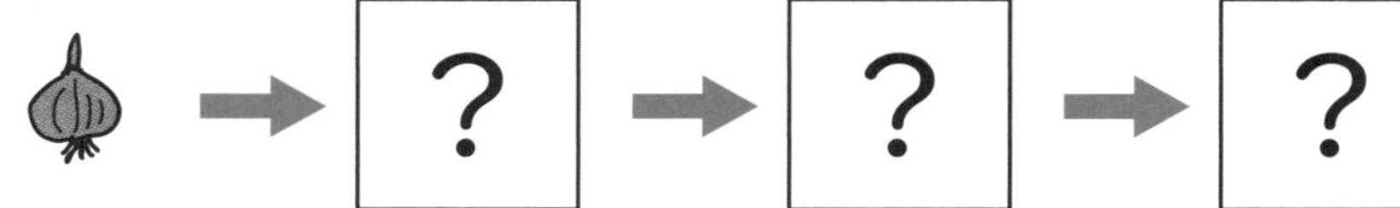

あ い う

こたえ

12ページの解答

25日目

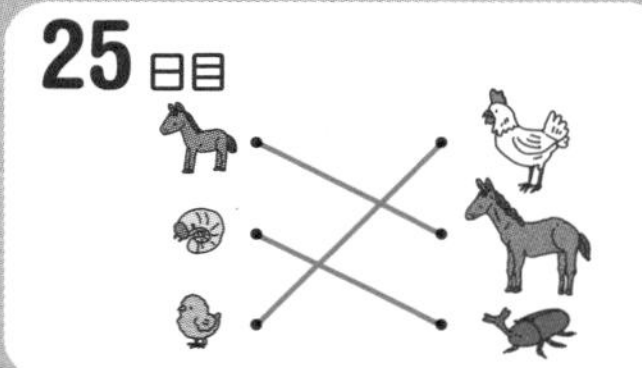

26日目

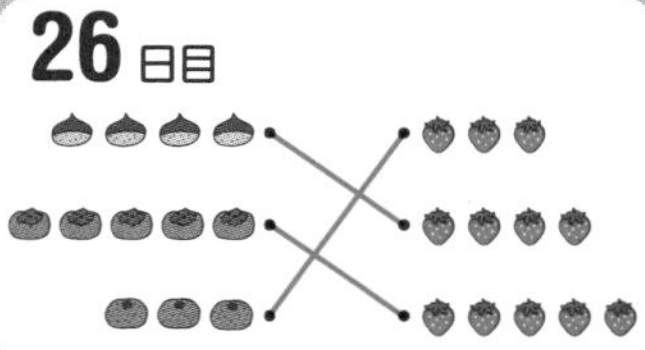

27日目

え

このページの解答は 17ページ

34日目 「見本」と同じものは、どれかな？

見本

あ

い

う

え

35日目 数が同じものを、線でむすんでね。

36日目 2番目に長いくつ下は、どれかな？

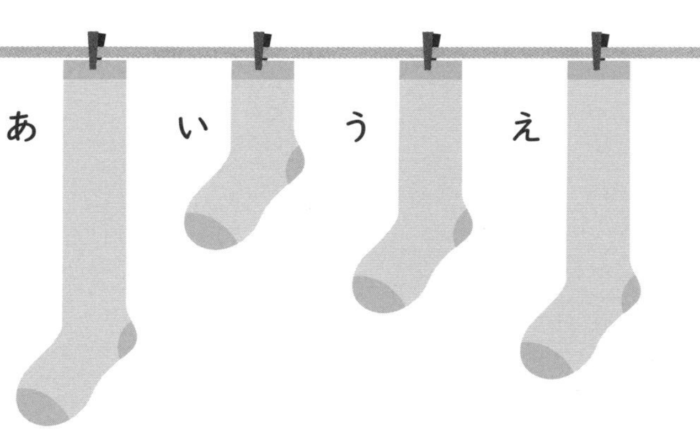

あ　い　う　え

13ページの解答

28日目

い

29日目

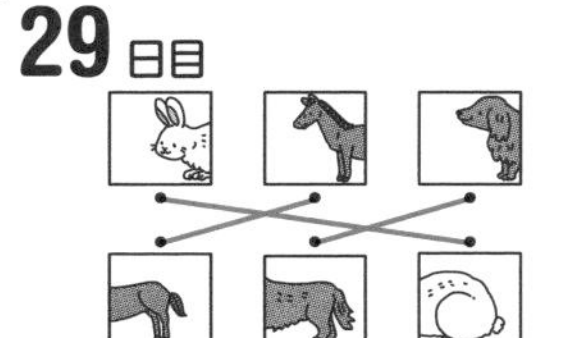

30日目

あ

このページの解答は 18ページ

同じなか間がのっているさらは、どれかな？

あ

い

う

え

38 日目

かこいの外にいるひつじは、何びきかな？

あ 

い 

う 

え 

39 日目

「見本」の形を組み合わせてできるのは、どれかな？

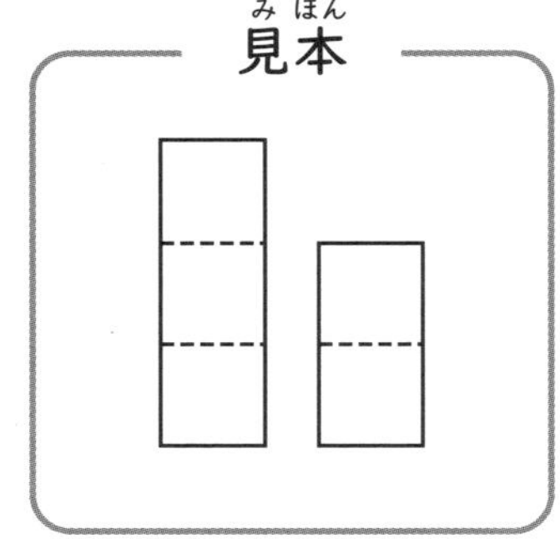

14 ページの解答

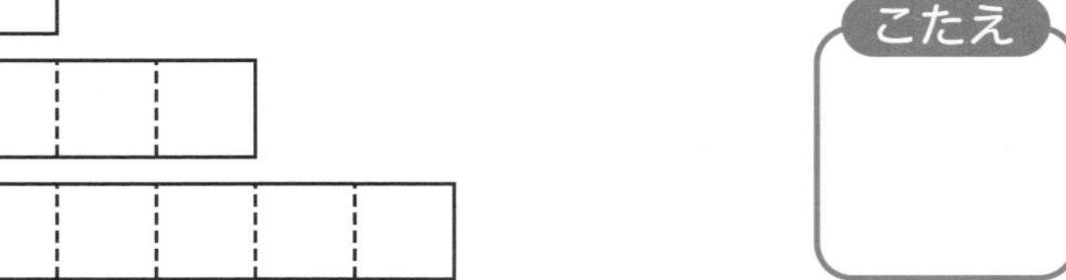

31日目	32日目	33日目
う	い	う→い→あ

このページの解答は 19ページ

かんけいのふかいものを、線でむすんでね。

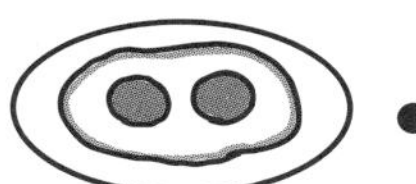

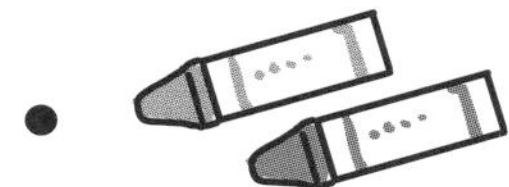

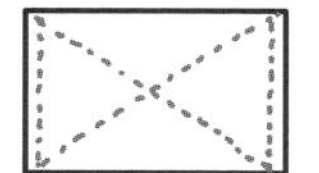

わがしを５つのうち、２つ食べたよ。のこりはいくつかな？

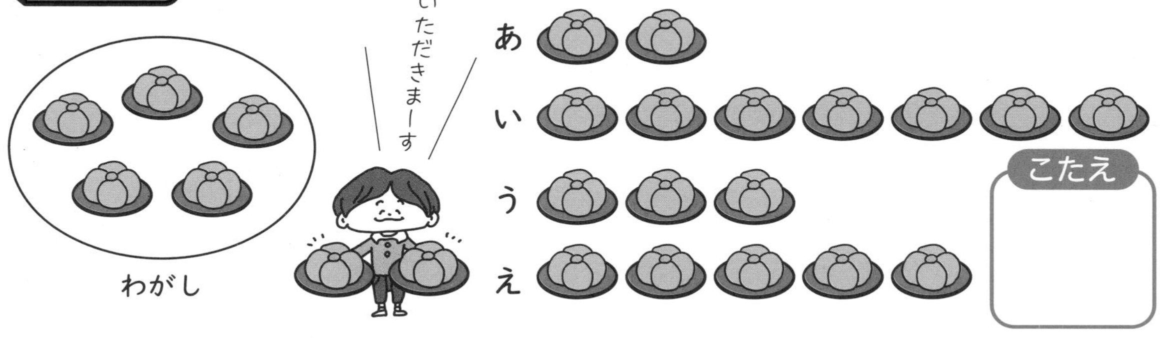

42 日目

つみ木の数が多いものから、じゅん番にならべてね。

こたえ

→ →

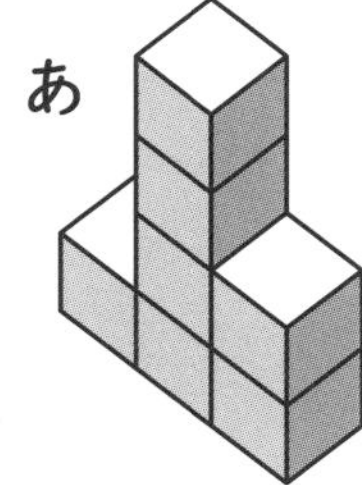

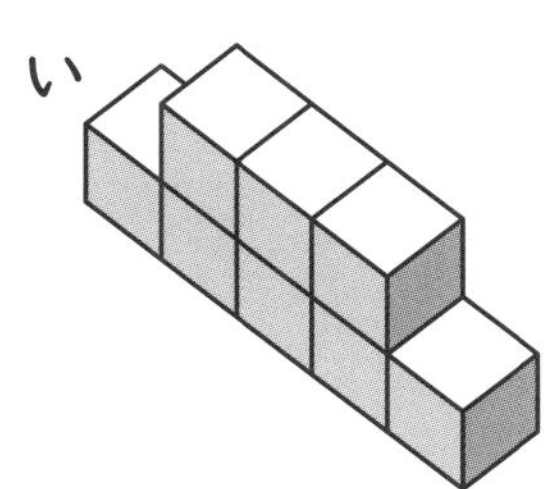

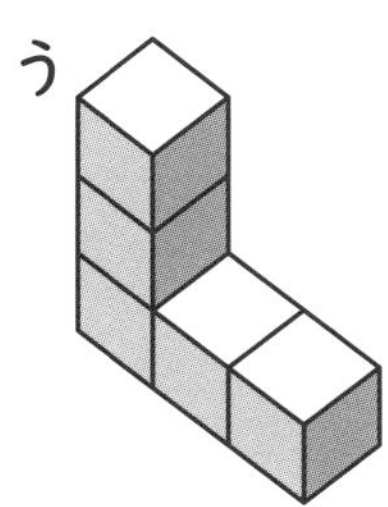

15 ページの解答

34日目

い

35日目

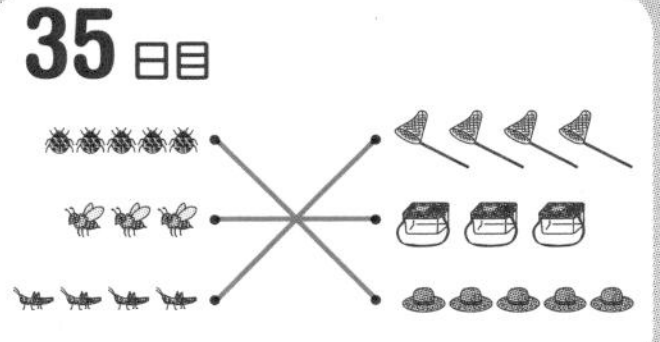

36日目

え

このページの解答は 20ページ

43 日目

「見本」の形を作るのに、つかうのはどれとどれかな？
※形はかさねたりうらがえしたりしないよ。

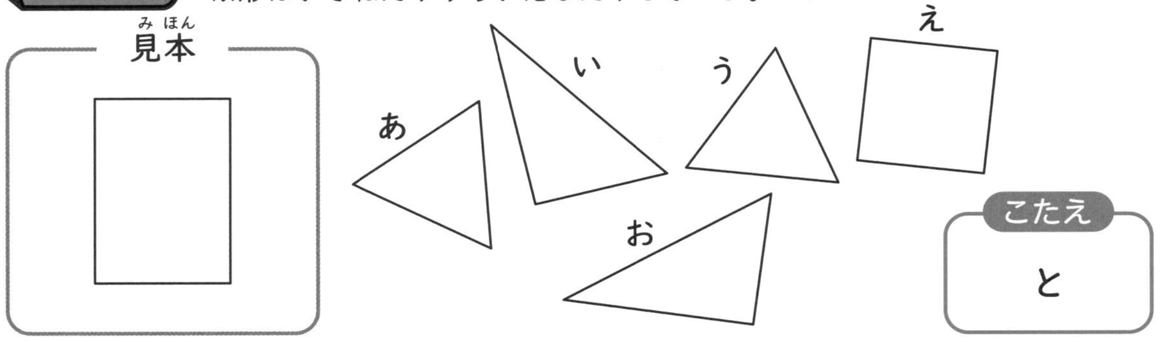

44 日目

おり紙をたて半分におって、――を切ると、切り口はどうなっているかな？　線でむすんでね。

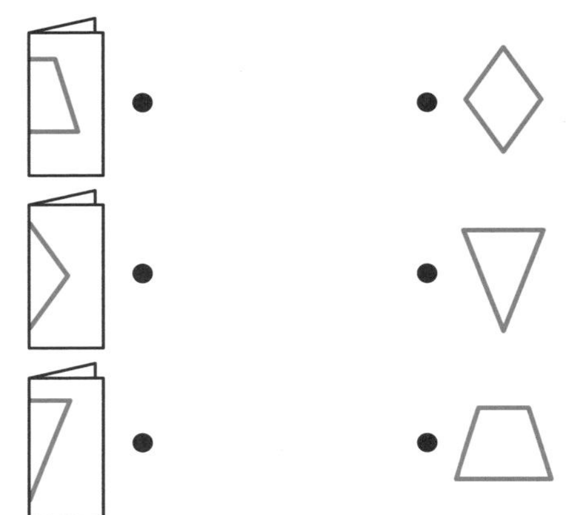

45 日目

数が一番多いのは、どれかな？

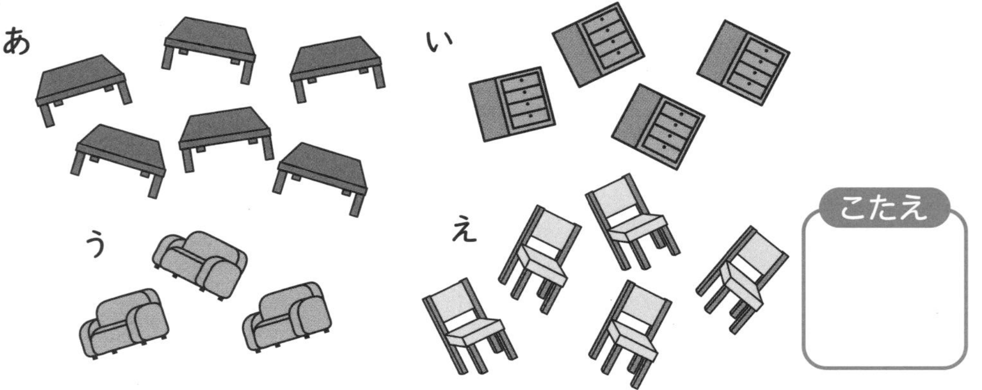

16ページの解答

37日目	38日目	39日目
あ	う	え

このページの解答は 21ページ

「ふしぎなはこ」におかしを入れると、数がかわるよ。クッキーを1まい入れると、何まいになるかな？

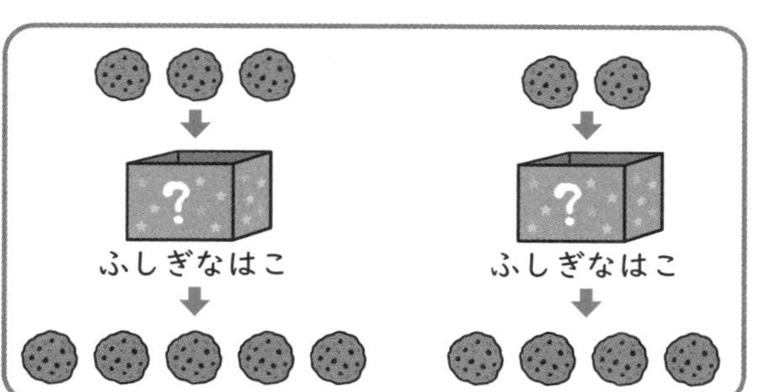

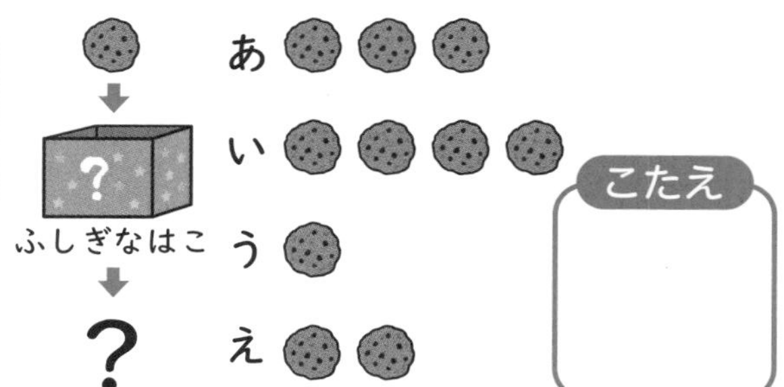

こたえ

「見本」の空いている □ にほう石を入れるには、何こいるかな？

見本

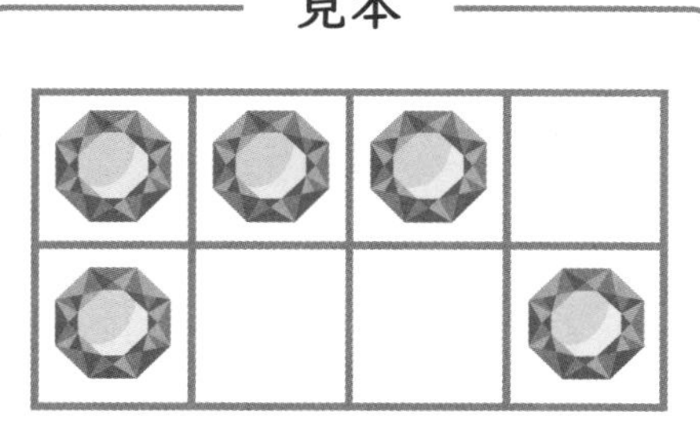

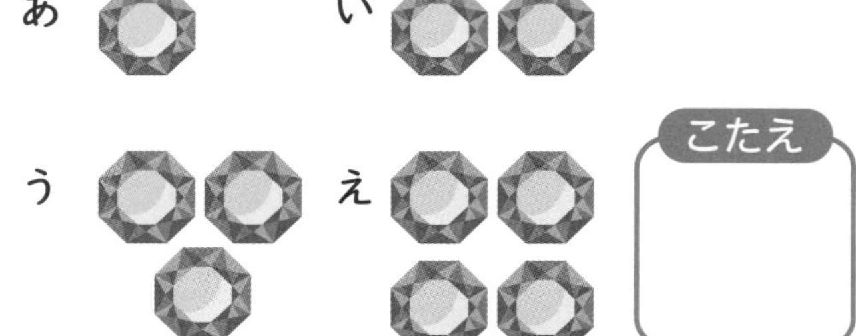

こたえ

48
日目

左の絵と同じになるように、線を書いてね。

あ

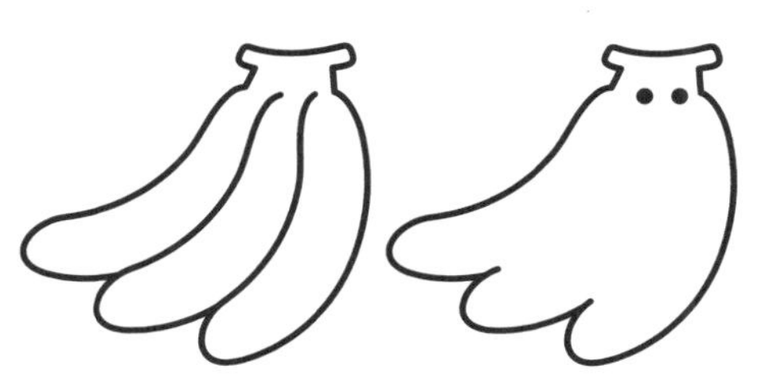

い

17 ページの解答

40日目

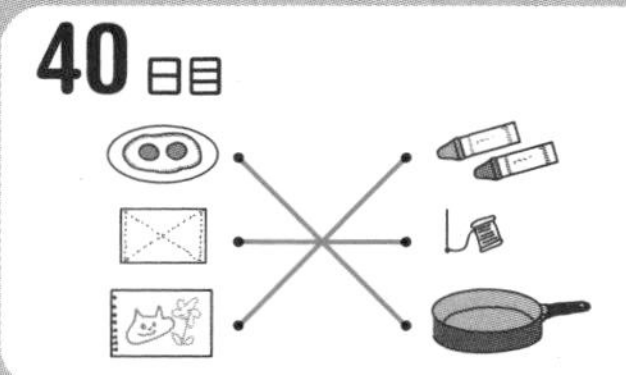

41日目

う

42日目

い→あ→う

49 日目

かんらん車が矢じるしの方こうに回っているよ。ぞうが一番下に来たとき、うさぎはどこにいるかな？

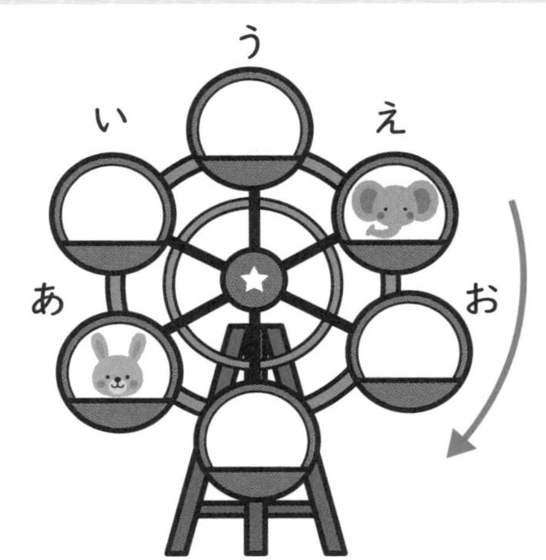

こたえ

50 日目

？ に入る絵は、どれかな？

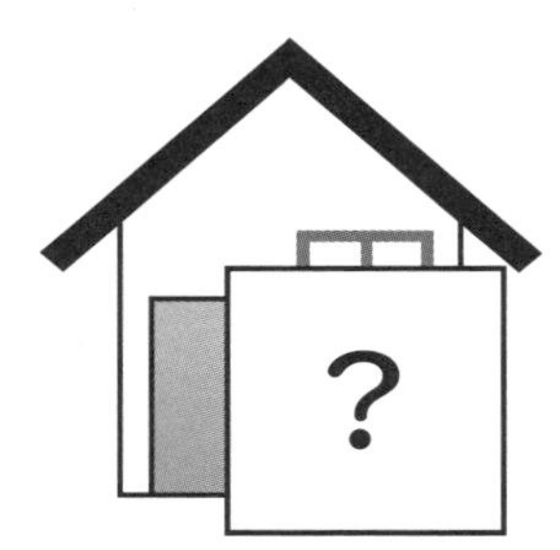

あ

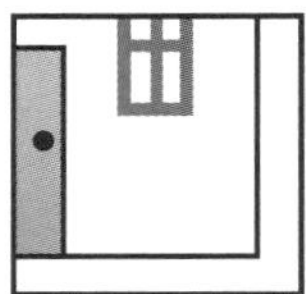

い

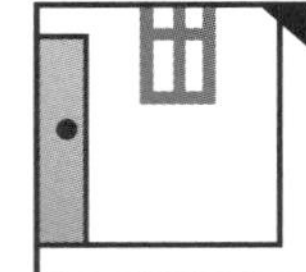

う

え

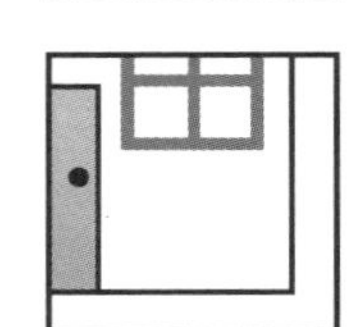

こたえ

51 日目

あめをひとり２こずつくばると、何人に分けられるかな？

こたえ

あめ

あ

い

う

え

18ページの解答

43 日目

いとお

くわしくは126ページ

44 日目

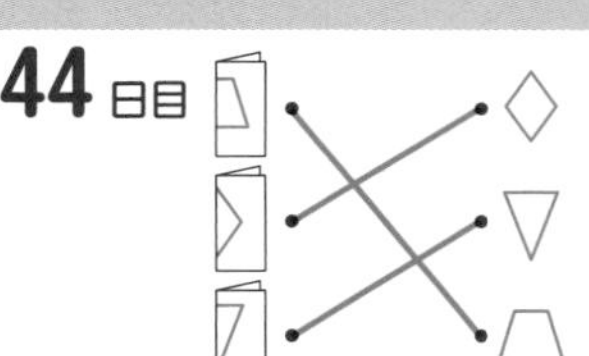

45 日目

あ

このページの解答は 23ページ

52日目

ぬいぐるみを、「たな」の下から2だん目、左から3番目にかたづけるよ。かたづけるところに○を書いてね。

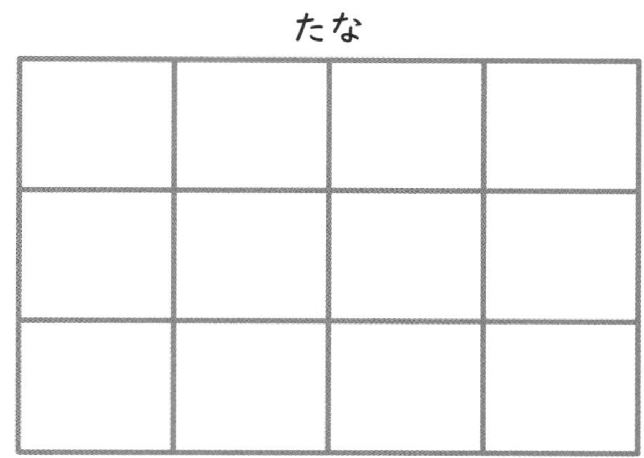

53日目

ひもを――で切ると、何本になるかな？

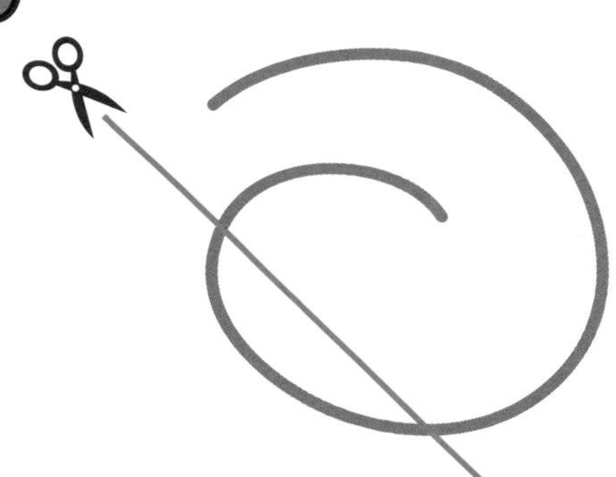

あ　2本
い　3本
う　4本
え　5本

こたえ

54日目

「見本」の形を作るとき、つかうつみ木の組み合わせは、どれかな？

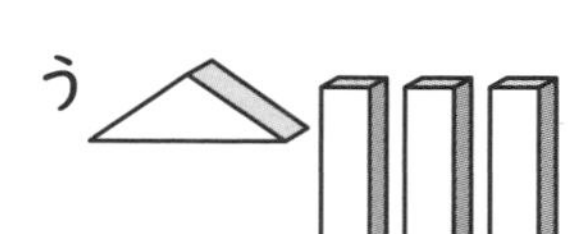

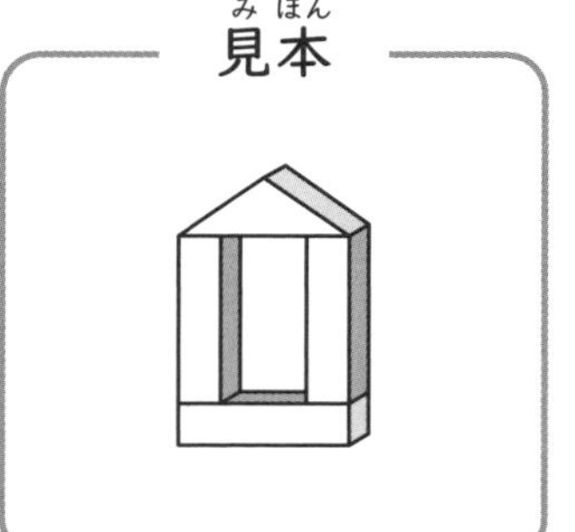

あ
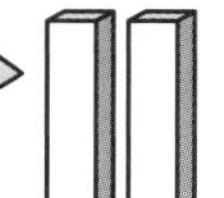

い

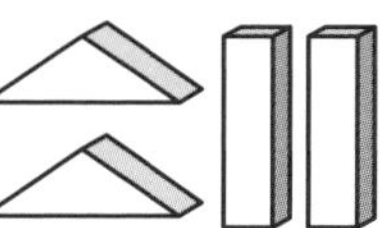

う　え
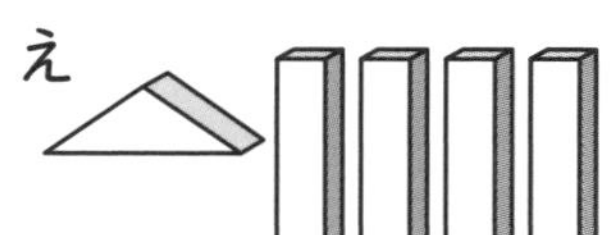

19ページの解答

46日目 あ

47日目 う

48日目

このページの解答は 24ページ

小さいほうからじゅん番にならべてね。

あ　い

う　え

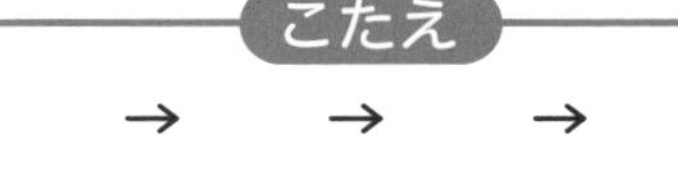

上から見たものを、線でむすんでね。

 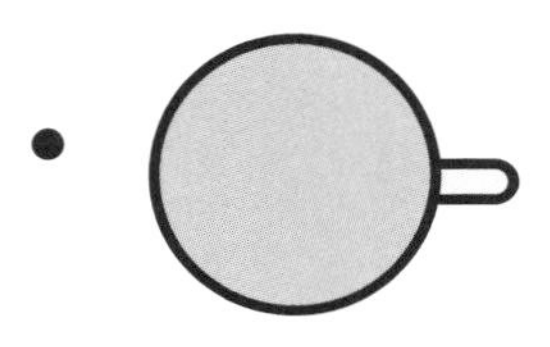
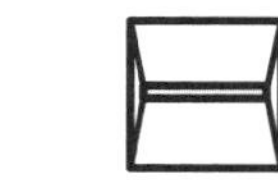

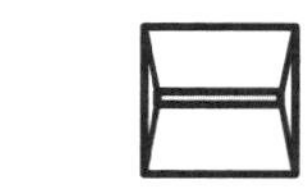

57
日目

かがみの前に、男の子が立っているよ。かがみにうつっている男の子は、どれかな？

あ　い　う　え

こたえ

20ページの解答

49日目	50日目	51日目
う	え	う

このページの解答は 25ページ

てんかい図(ず)を組(く)み立(た)てたとき、「見本(みほん)」の立体(りったい)になるのはどれかな？

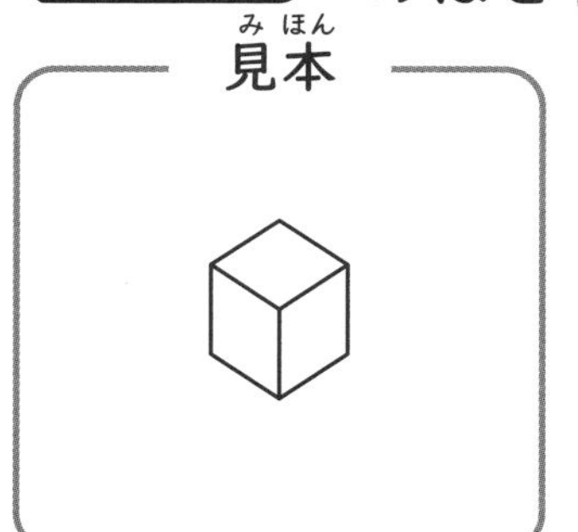

あ

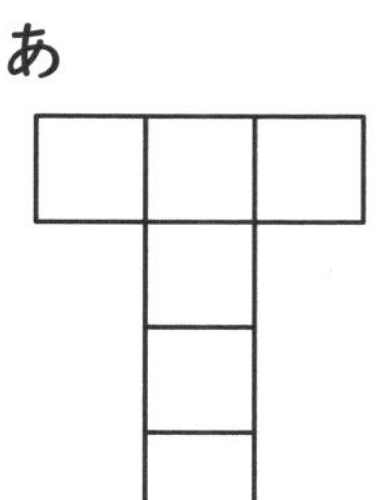

い

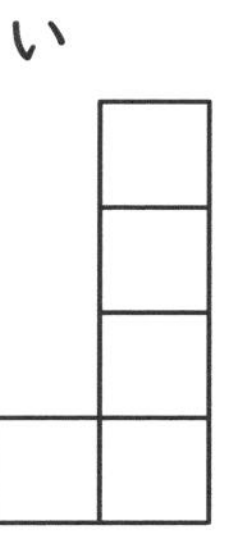

う

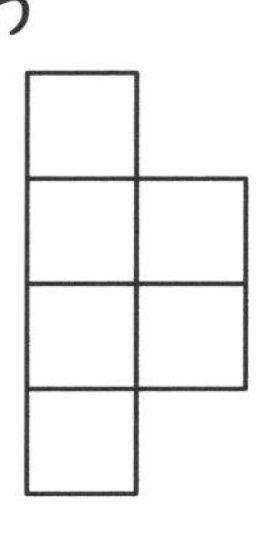

□の数(かず)と同(おな)じものを、線(せん)でむすんでね。

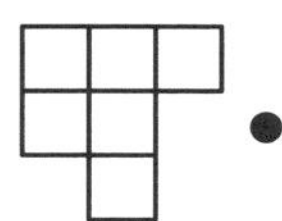

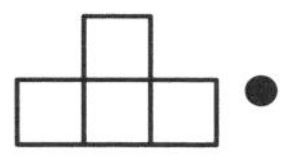

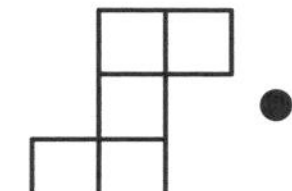

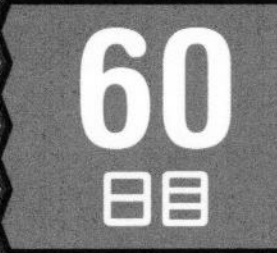

「見本(みほん)」の形(かたち)を、矢(や)じるしの方(ほう)こうにカタンカタンと回(まわ)していくと、?に入(はい)るのは、どれかな？

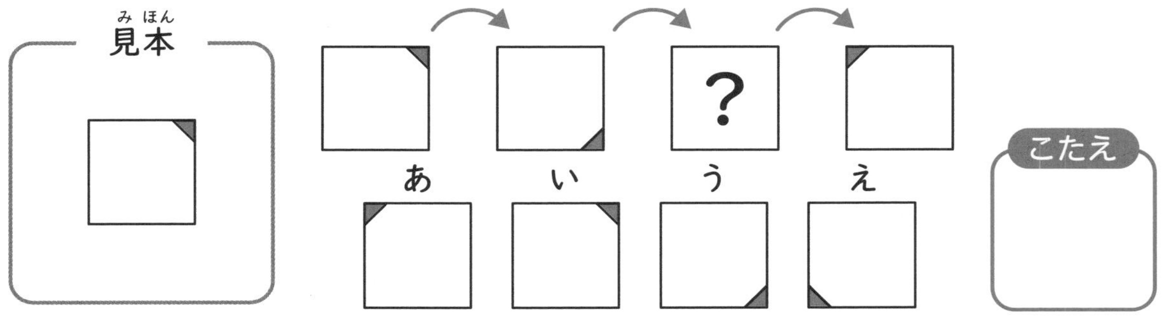

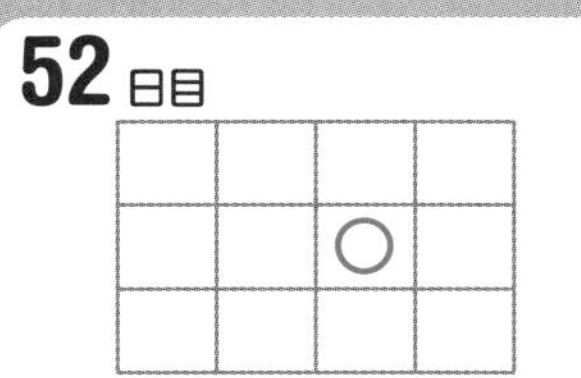

このページの解答は 26ページ

61日目

?（□）と?（○）に入(はい)るのは、どれとどれかな？

あ  

い   

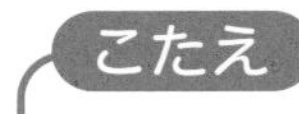

う  

え 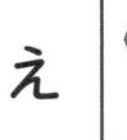  

こたえ

62日目

くしだんごにたどりつけるのは、だれかな？

あ

い

う

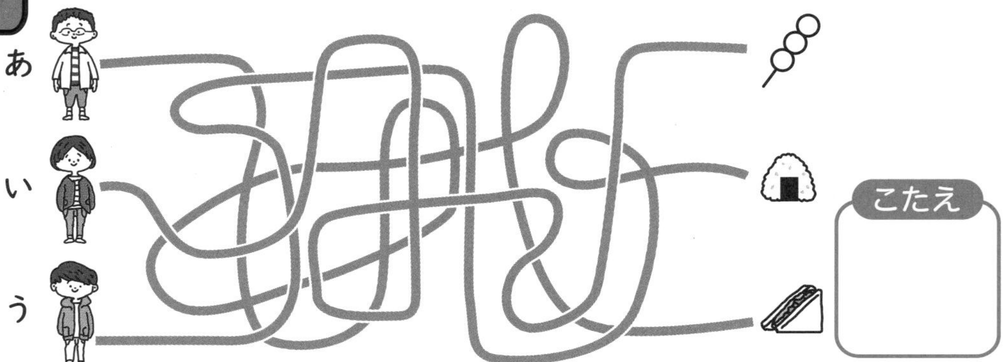

こたえ

63日目

かぶと虫(むし)は、ぜんぶで何(なん)びきいるかな？

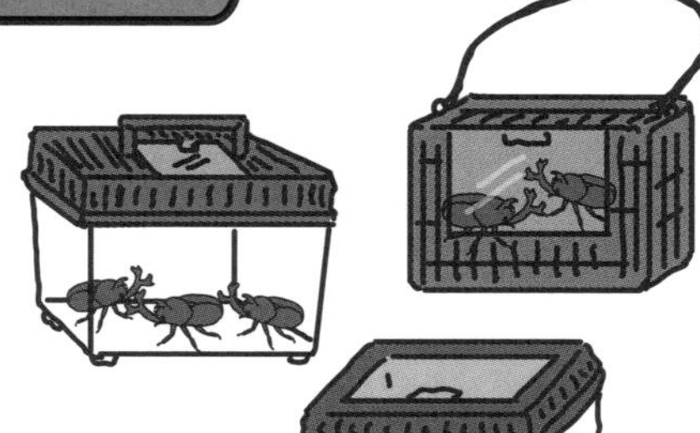

あ 

い 

う

え

こたえ

22ページの解答

55日目

い→え→う→あ

56日目

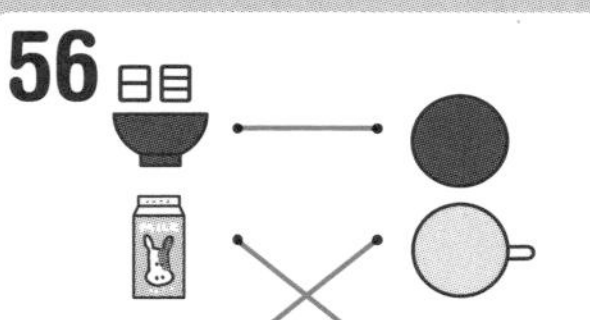

57日目

う

このページの解答は 27ページ

「見本」と同じものは、どれかな？

見本

あ

い

う

え

こたえ

65 日目

「見本」のようにシールをはるとき、先にはるのはどちらかな？

見本

あ

い

こたえ

66 日目

「見本」から、□を１つだけうごかしてできるものは、どれかな？

見本

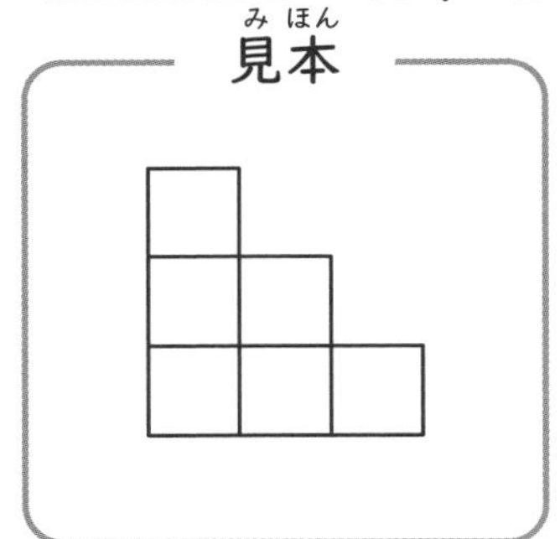

あ

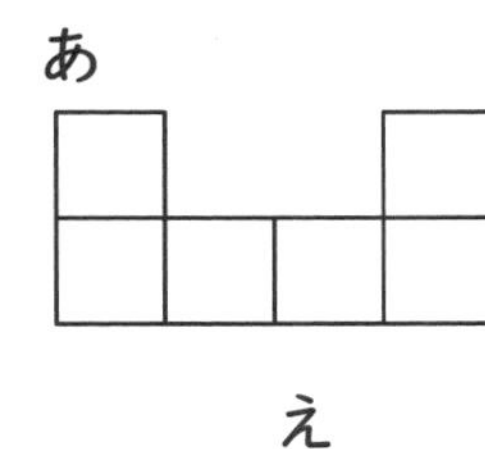

い

う

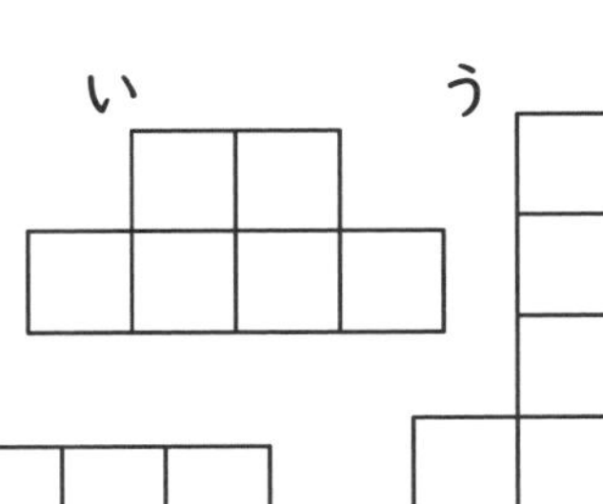

え

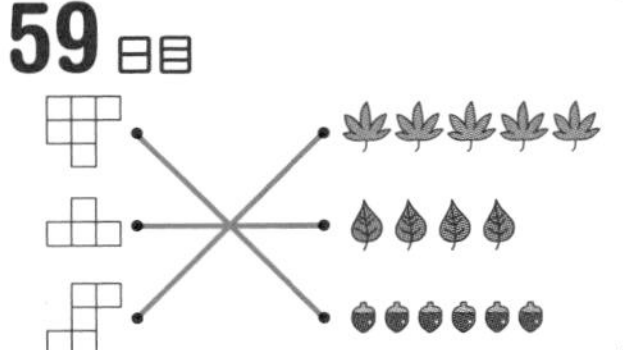

こたえ

23ページの解答

58日目 あ

59日目

60日目 え

このページの解答は 28ページ

67日目

色（いろ）がついているところが広（ひろ）いのは、どちらかな？

あ

①　②

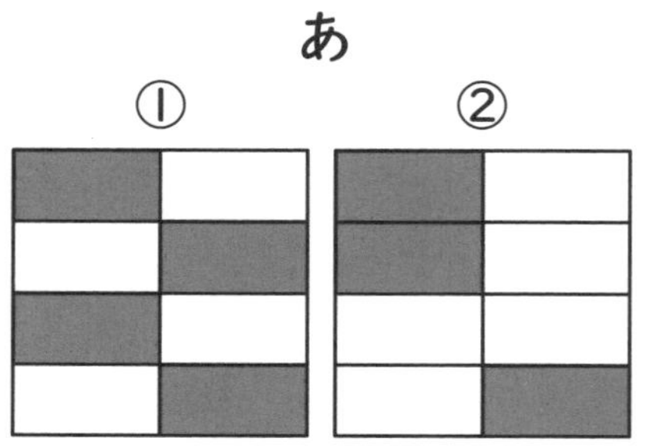

い

③　④

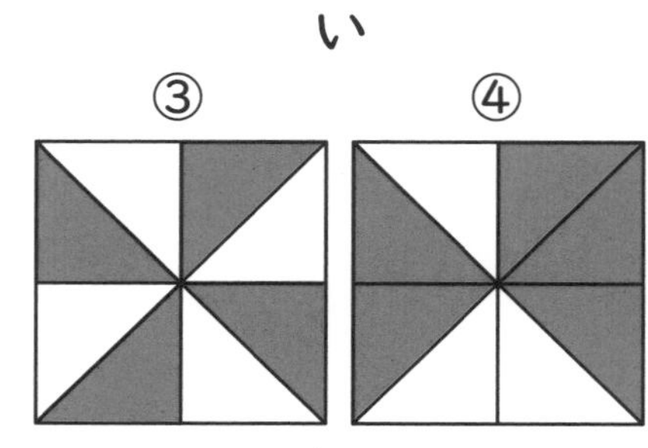

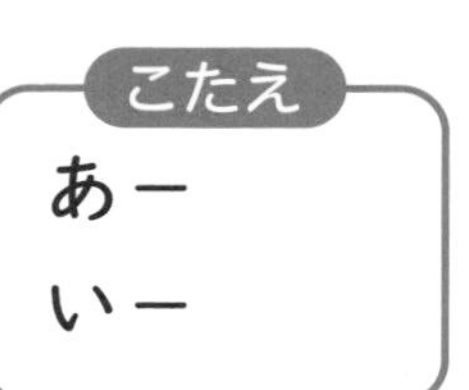

68日目

「見本（みほん）」のかげ絵（え）は、どれかな？

見本（みほん）

あ

い

う

え

69日目

一番（いちばん）おもいのは、だれかな？

24ページの解答

61日目	62日目	63日目
え	い	う

このページの解答は 29ページ

70 日目

の下の□に○、の下の□に△を書いてね。

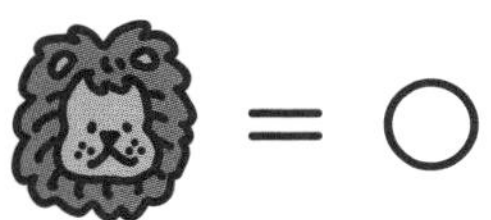

= ○

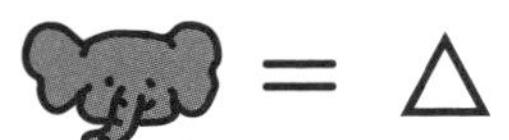

= △

71 日目

右の絵と左の絵には、ちがうところが4つあるよ。どこかな？　右の絵に○をつけてね。

72 日目

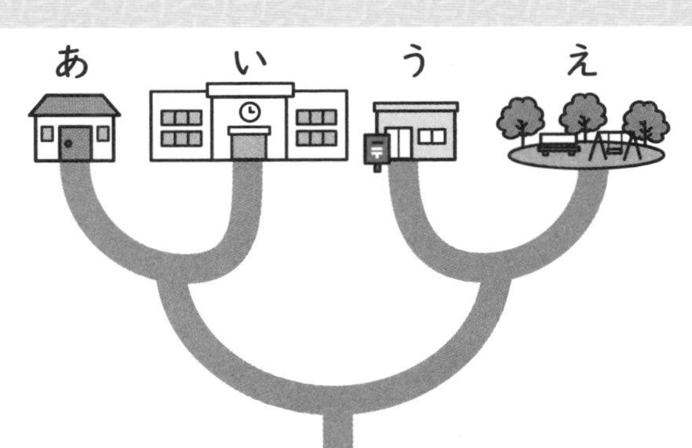

さいしょの分かれ道を右にまがり、そのつぎの分かれ道を左にまがると、どこにつくかな？

こたえ

25ページの解答

64日目	65日目	66日目
う	あ	い

このページの解答は 30ページ

73日目

•を線でむすんで、「見本」と同じ形を書いてね。

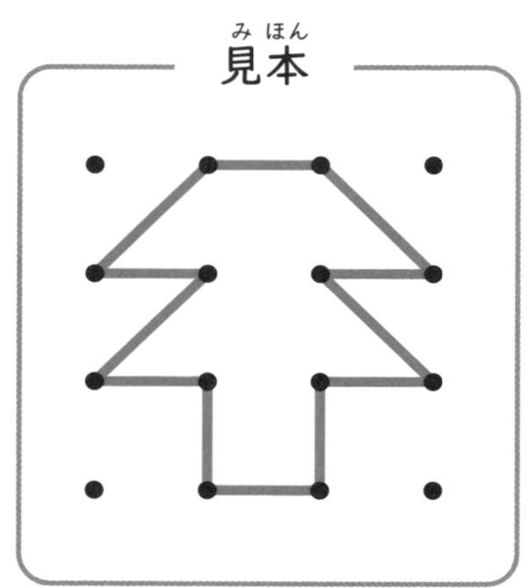

74日目

風船のひもが長いじゅんにならべてね。

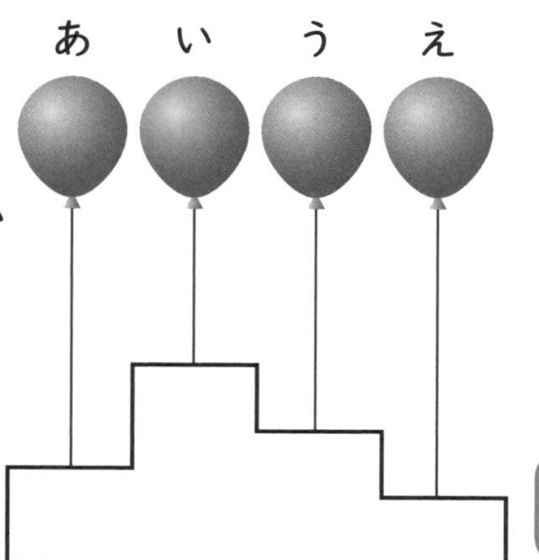

こたえ
→ → →

75日目

「見本」のように、おり紙をおるよ。ひらいたときにできる「おりすじ」は、どれかな？

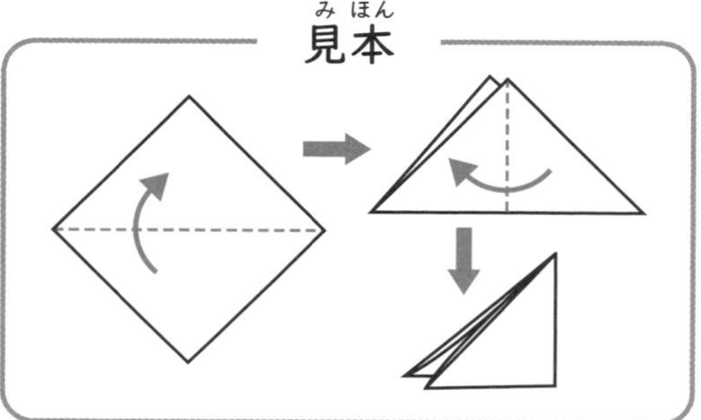

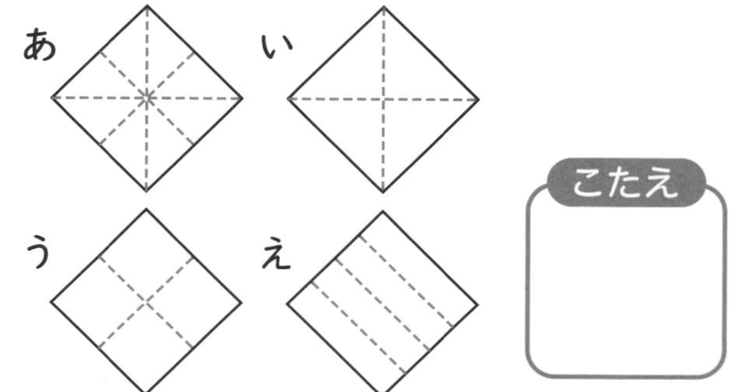

こたえ

26ページの解答

67日目	68日目	69日目
あー① いー④	え	う

このページの解答は 31ページ

76日目

左(ひだり)のものをかたづけるのにちょうどいいはこは、どれかな？ 線(せん)でむすんでね。

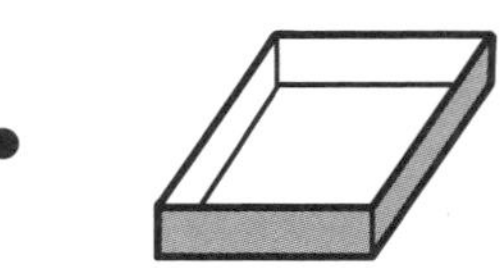

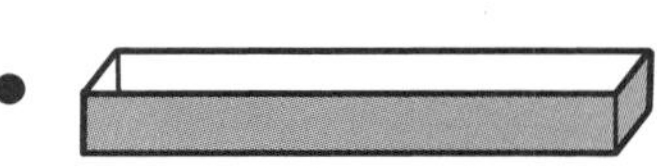
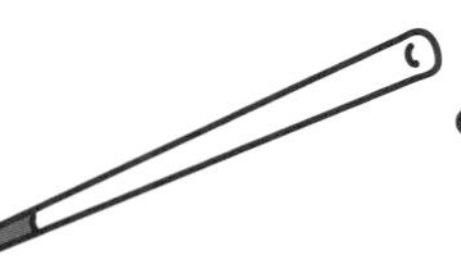
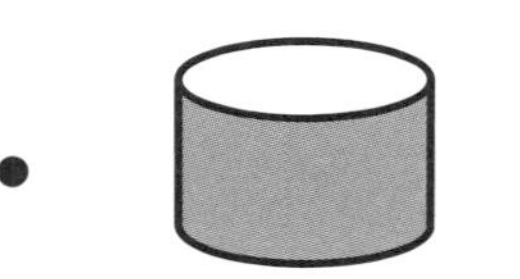

77日目

左(ひだり)のものをすなの上(うえ)においておしつけたときにできるあとは、どれが近(ちか)いかな？ 線(せん)でむすんでね。

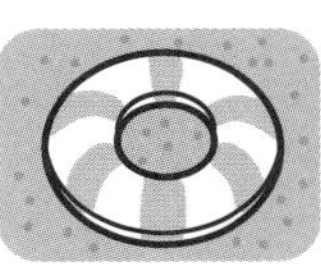

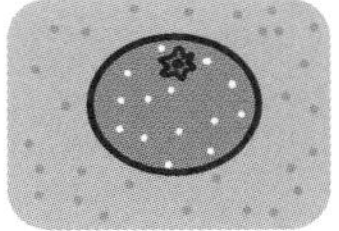

78日目

多(おお)いほうの絵(え)に多(おお)い数(かず)だけ×をつけてね。

27ページの解答

70日目

○	△		△		○	○

71日目

72日目

う

このページの解答は 32ページ

79日目

? に入(はい)るのは、どれかな？

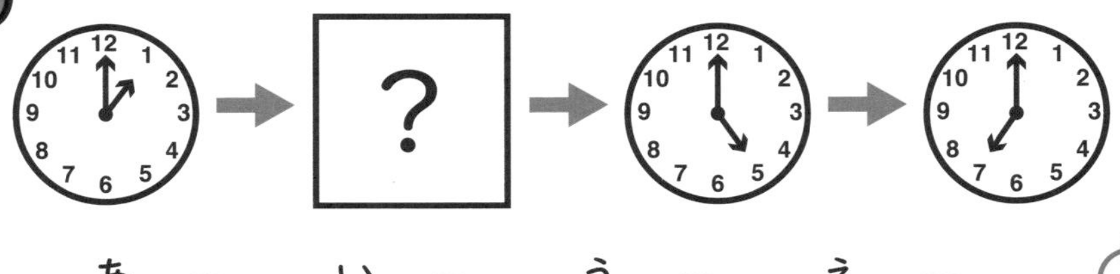

あ
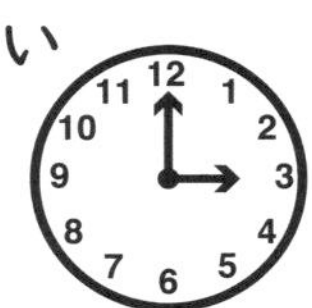
い

う
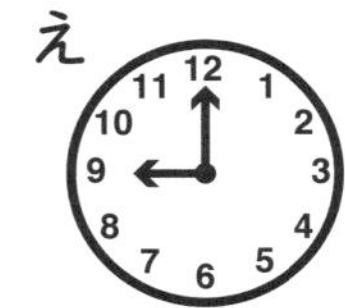
え

こたえ

80日目

1つだけなか間(ま)ではないのは、どれかな？

あ
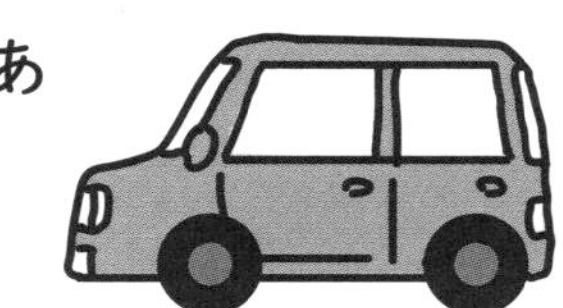
い

う

え

こたえ

81日目

1つしかないものは、どれとどれかな？

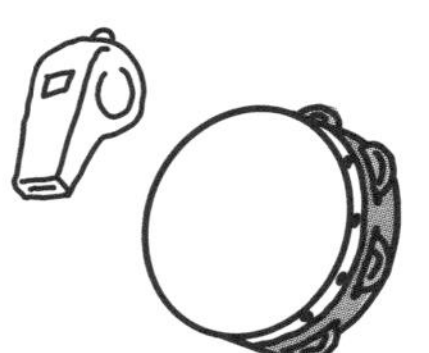

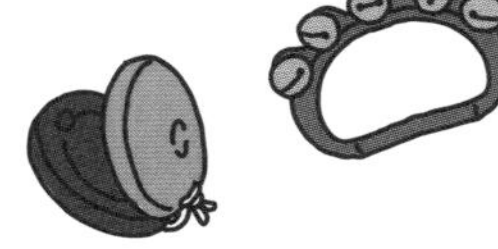

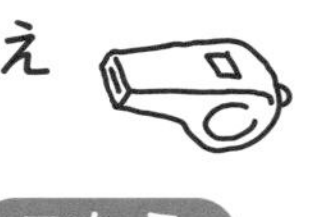

あ い う え

こたえ

と

28ページの解答

73日目

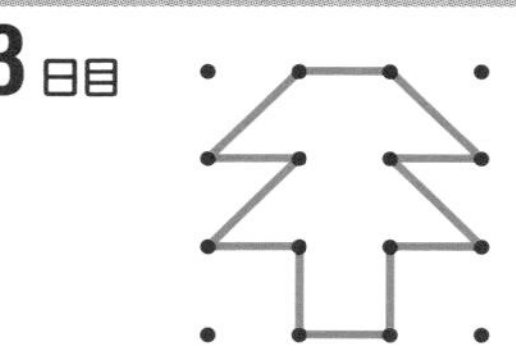

74日目

え→あ→う→い

75日目

い

このページの解答は 33ページ

82日目

じゅん番(ばん)にならべてね。

あ 
い 
う 

83日目

かこいの中(なか)にあるきのこは、何本(なんぼん)かな？

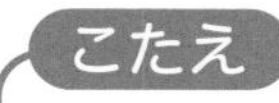

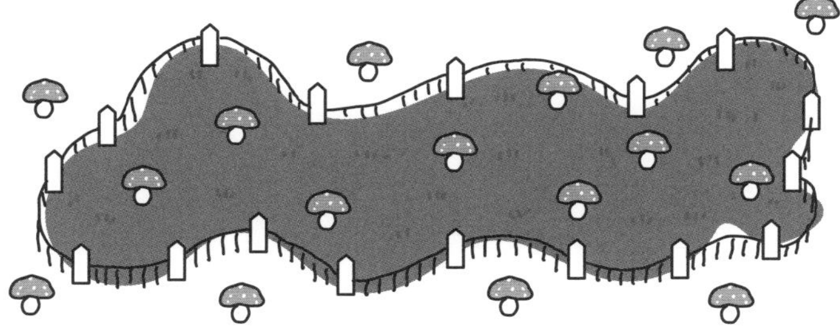

あ
い
う
え

84日目

点線(てんせん)をなぞってね。

29ページの解答

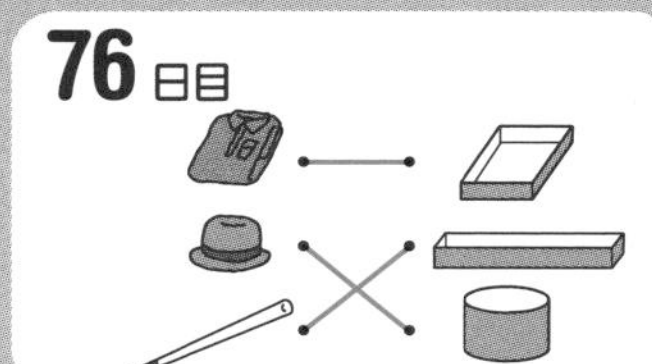

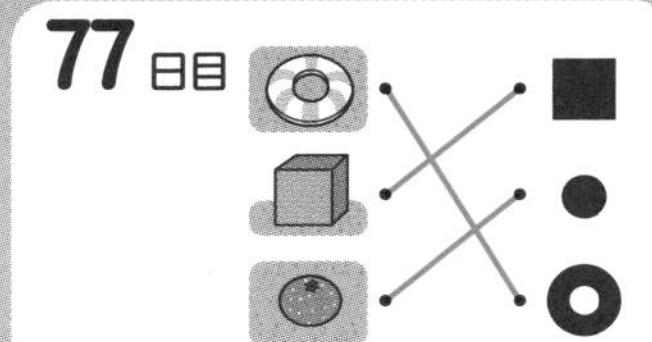

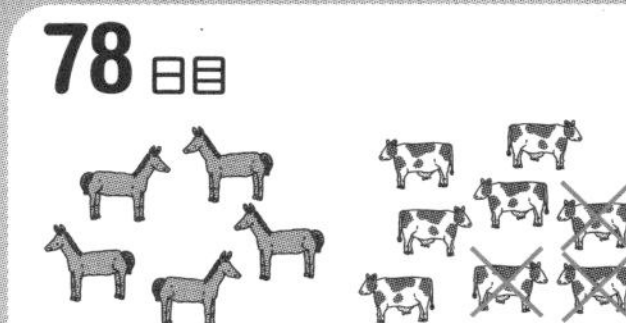

このページの解答は 34ページ

85日目

ケーキを同じ大きさに切って4人で分けるには、どう切ればいいかな？

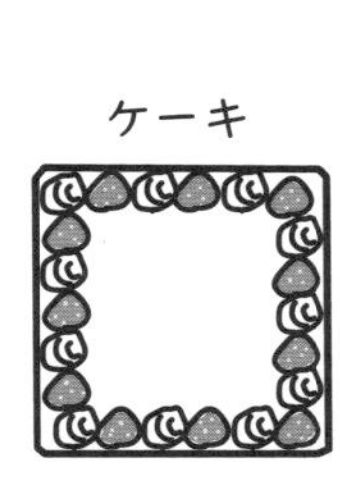

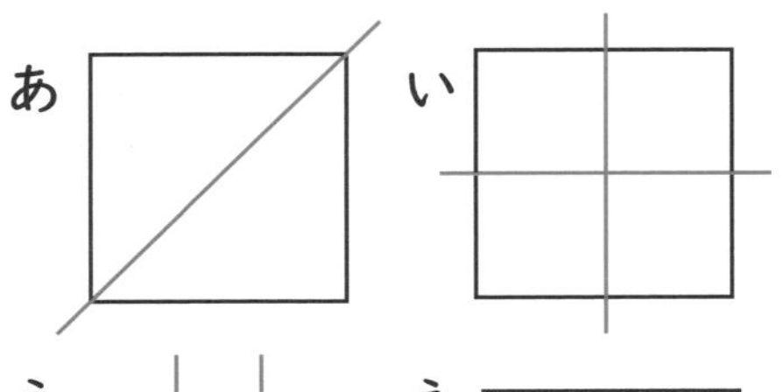

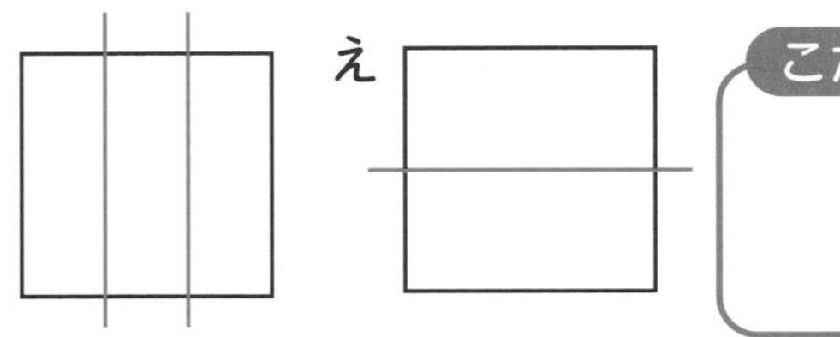

こたえ

86日目

「見本」のように見えるのは、だれから見たときかな？

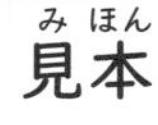

見本

87日目

同じ数のものを、線でむすんでね。

30ページの解答

79日目	80日目	81日目
い	え くわしくは126ページ	いとう

このページの解答は 35ページ

88日目

? に入る絵は、どれかな？

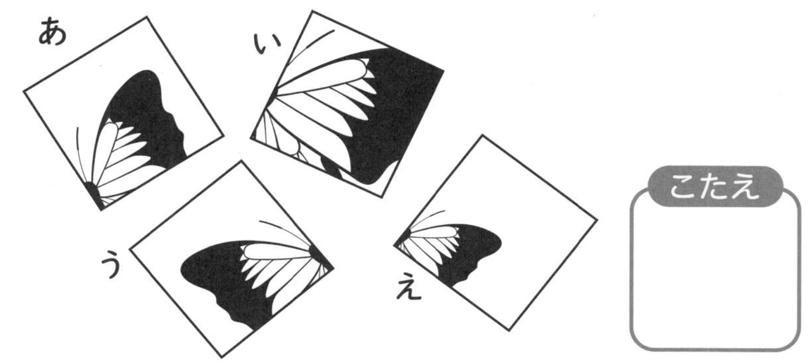

こたえ

89日目

「見本」の形を作るとき、つかわないつみ木は、どれかな？

見本

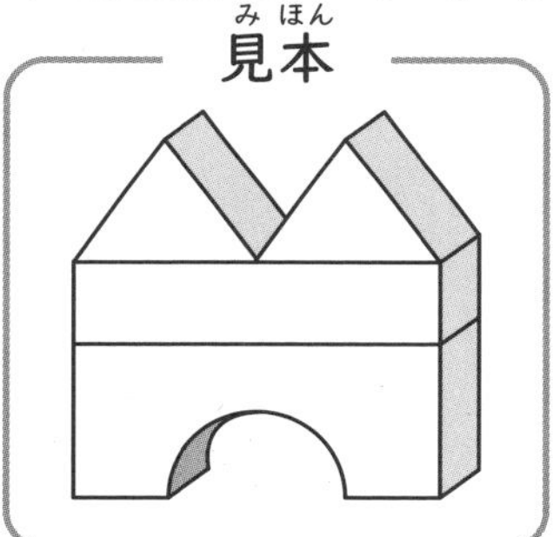

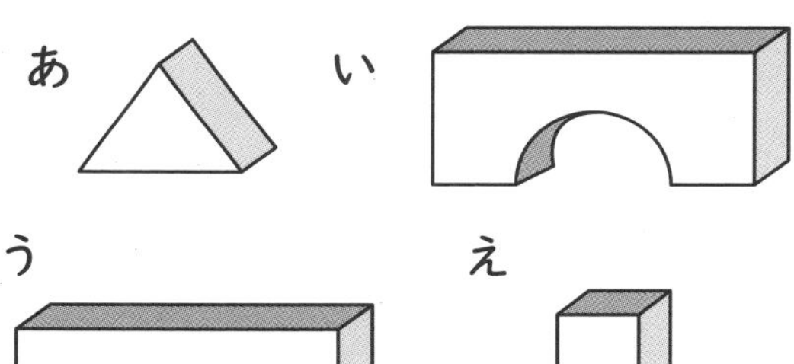

90日目

「見本」のように「ふしぎなぬの」でつつむと形がかわるよ。おたまじゃくしをつつむと、どうなるかな？

見本

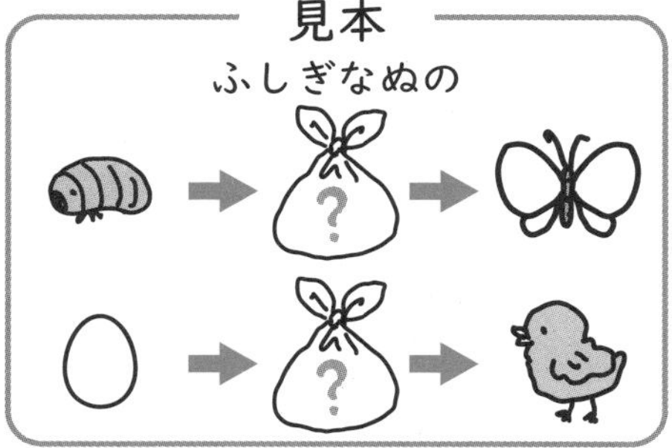

あ 

い 

う 

え 

31ページの解答

82日目 う→あ→い

83日目 あ

84日目

このページの解答は 36ページ

91日目

「見本」と同じものは、どれかな？

見本

あ

い

う

え

こたえ

92日目

右から2番目、上から3番目のうえ木ばちに○をつけてね。

93日目

「見本」の□をならべて形を作ったよ。4まいならべて作れるのは、どれかな？

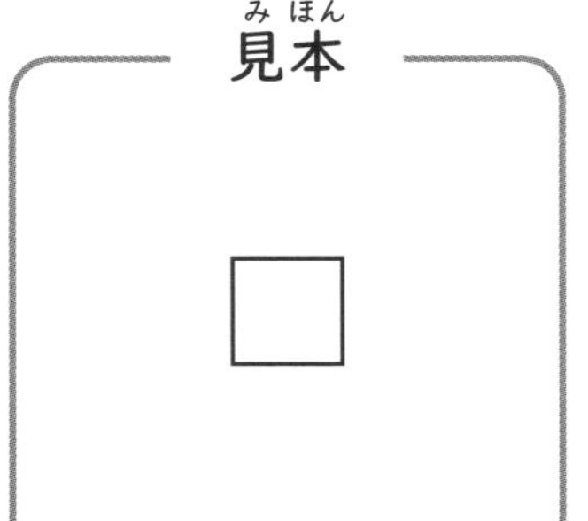

見本

あ　い　う

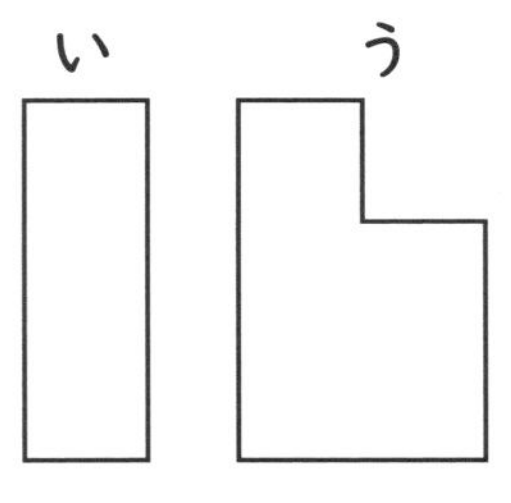

え

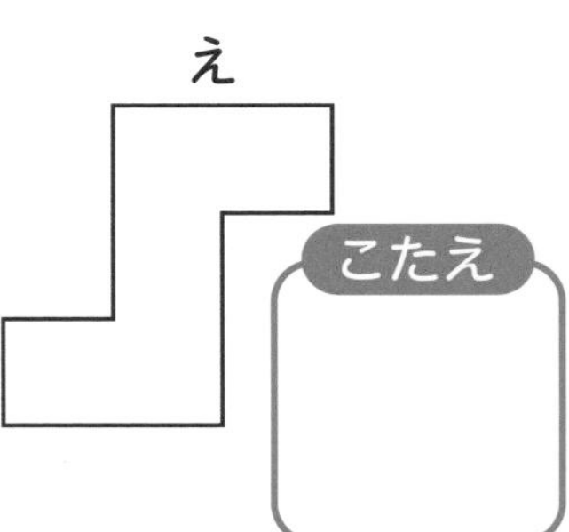

こたえ

32ページの解答

85日目 い

86日目 え

87日目

このページの解答は 37ページ

94日目

ドーナツをひとり1つずつ食(た)べたよ。のこるのは、いくつかな？

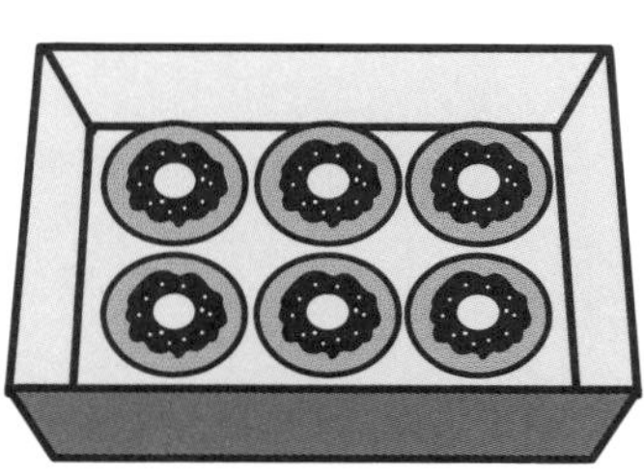

あ 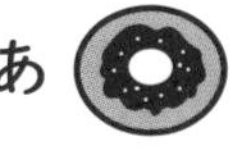

い 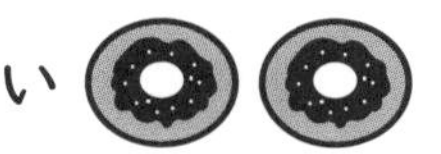

う 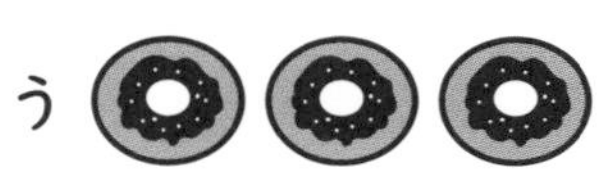

95日目

「見本(みほん)」と同(おな)じ組(く)み合(あ)わせは、どれかな？

見本(みほん)

あ 

い 

う 

え 

96日目

「見本(みほん)」のように紙(かみ)を切(き)りぬいたよ。切(き)りぬいたものは、どれかな？

見本(みほん)

あ 

い う 

え 

こたえ

33ページの解答

88日目	89日目	90日目
あ	え	い

このページの解答は 38ページ

97 日目

「見本」の中で数が一番多いくだものは、どれかな？

見本

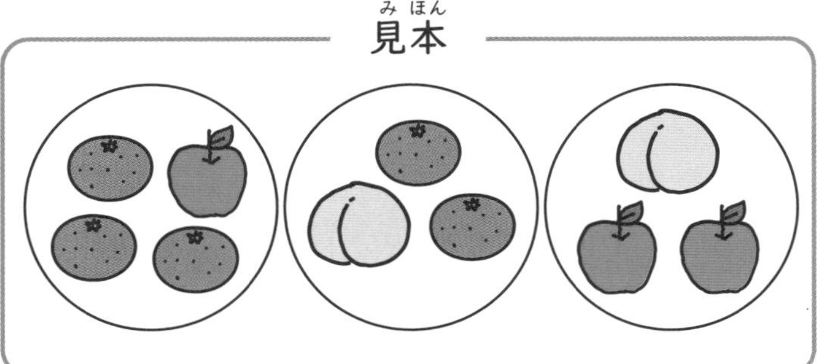

あ

い

う

こたえ

98 日目

「見本」と同じになるように、色をぬってね。

見本

99 日目

「たまご」でも「ひよこ」でもないものに×をつけてね。

34 ページの解答

91日目

う

92日目

93日目

あ

くわしくは 126ページ

このページの解答は 39ページ

左の絵と、かがみにうつした右の絵には、ちがうところが4つあるよ。どこかな？ 右の絵に○をつけてね。

「見本」と同じものは、どれかな？

見本

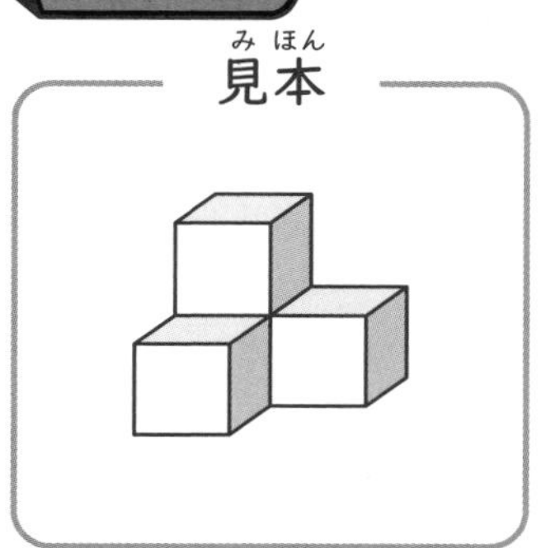

あ

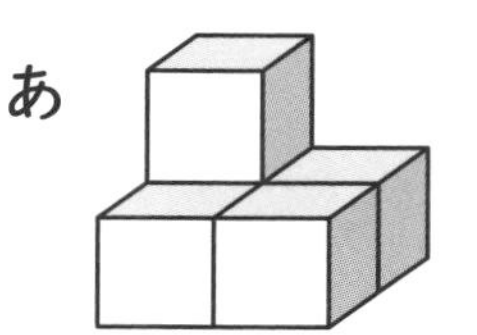

い

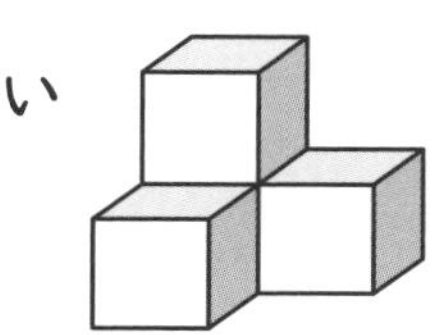

う

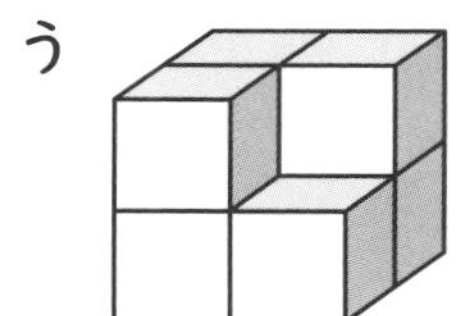

え

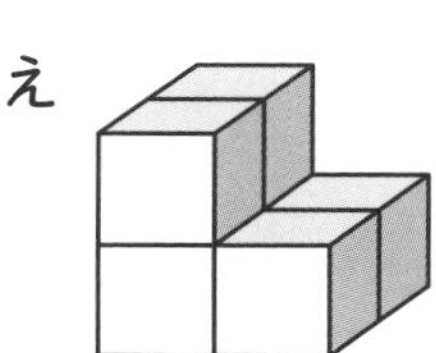

102 日目

「見本」の形をかさねてできるものは、どれかな？

見本

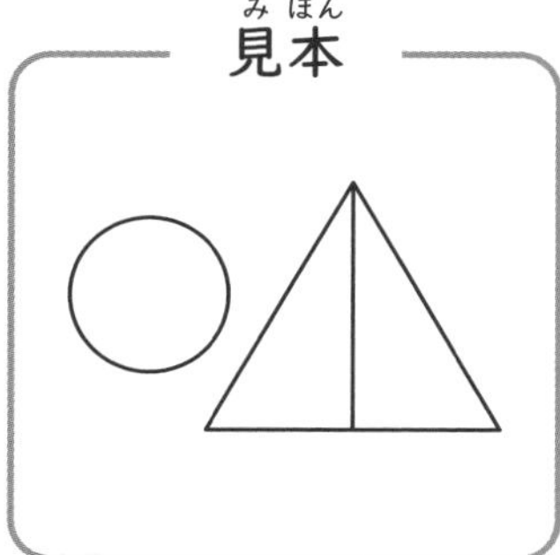

あ

い

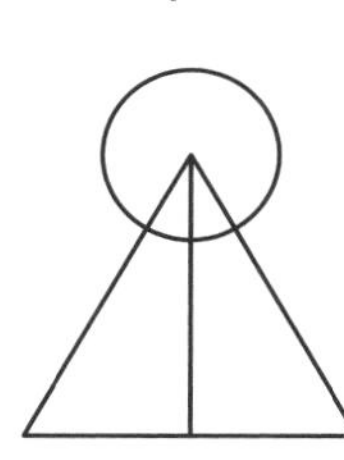

う

え

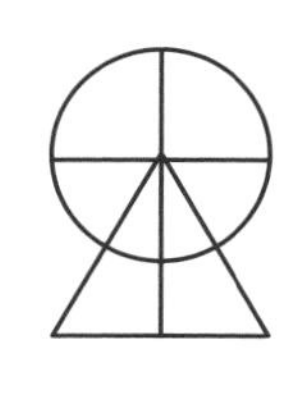

35ページの解答

94日目	95日目	96日目
い	え	い

このページの解答は 40ページ

103日目

●からはじめて、ひとふでで書いてね。

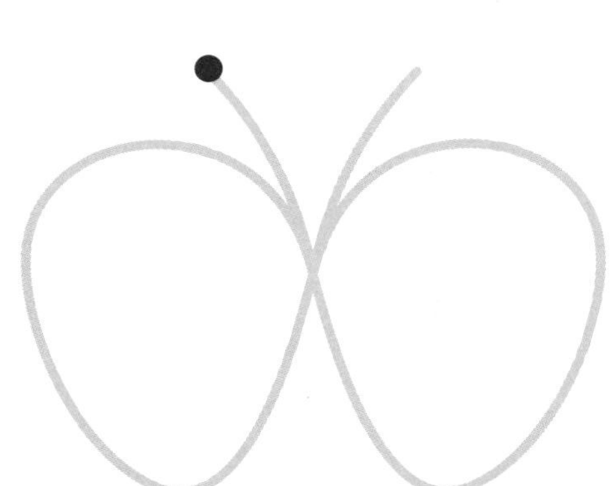

104日目

? に入るのは、どれかな？

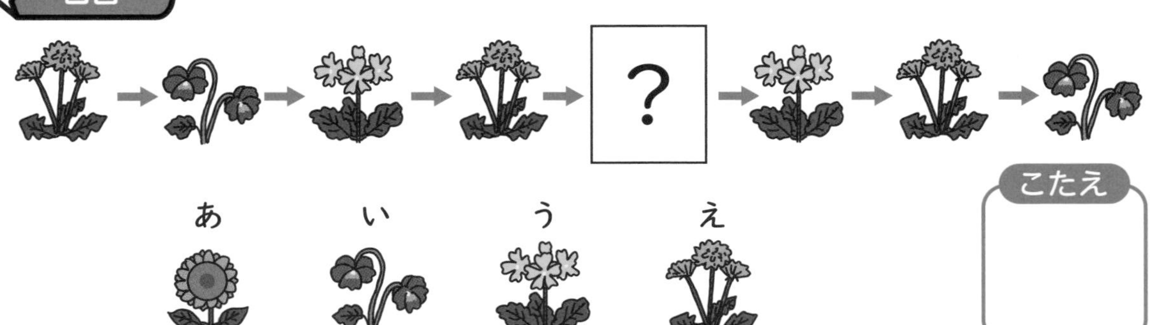

こたえ

105日目

2番目に多いのは、どれかな？

こたえ

36ページの解答

97日目

い

98日目

99日目

このページの解答は 41ページ

106 日目

同じくだものだけを食べて、ゴールまで行ってね。

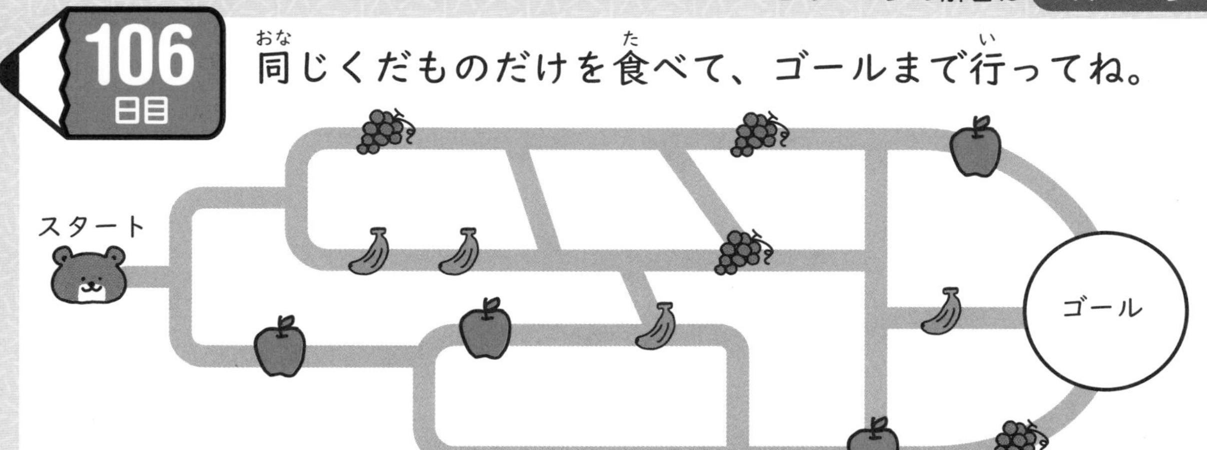

107 日目

色がついているところが広いのは、どちらかな？

あ

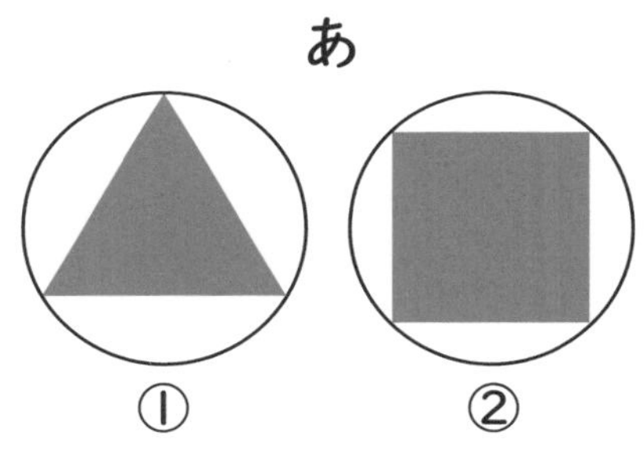

い

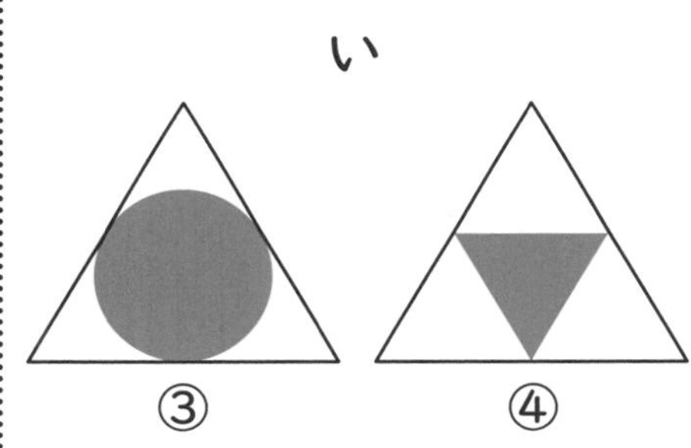

こたえ
あ－
い－

108 日目

「見本」の形から、三角形を１つだけうごかしてできるものは、どれとどれかな？

見本

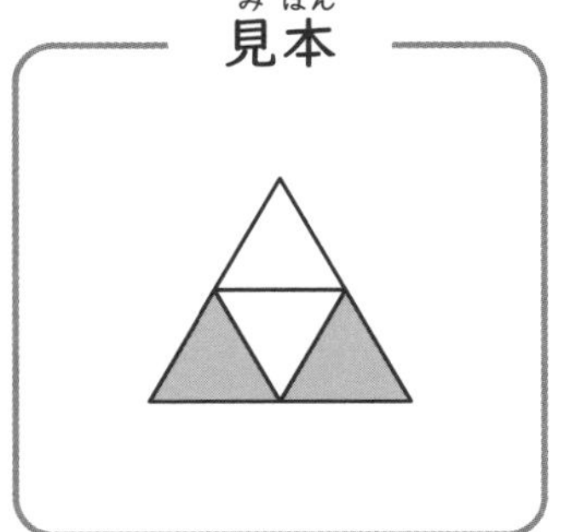

あ

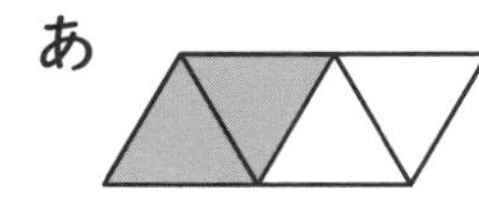

い

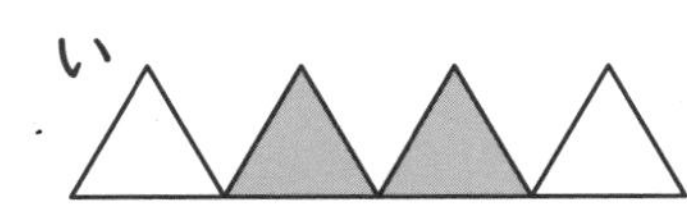

う

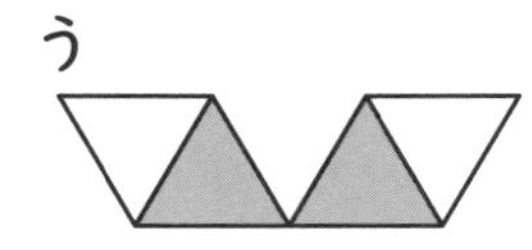

え

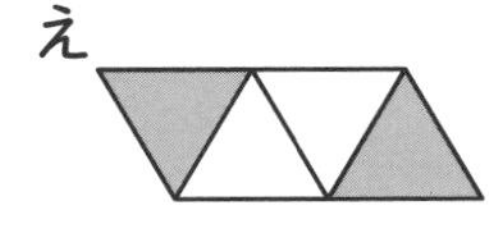

こたえ
と

37 ページの解答

100日目

101日目
い

102日目
い

このページの解答は 42ページ

ケーキを食べて「見本」のようにのこしたよ。食べたのは、いくつかな？

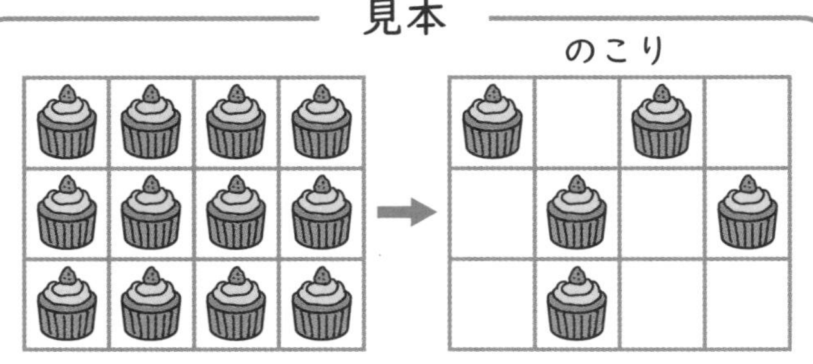

あ

い 

う 

え 

110日目

女の子のかげが正しいのは、どれかな？

「見本」の形を作るとき、つかわないものは、どれかな？

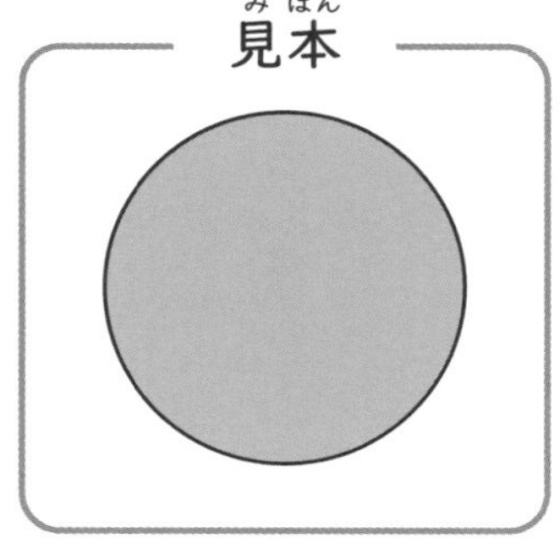

あ 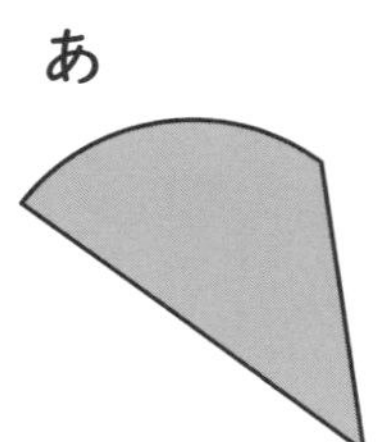

い 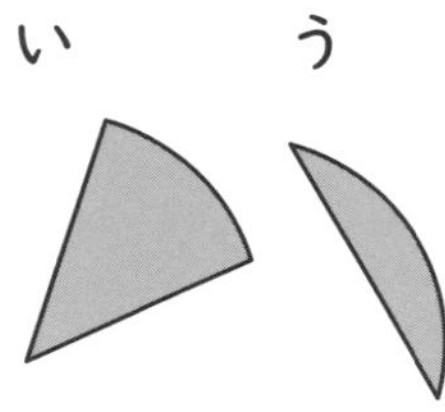

う

え 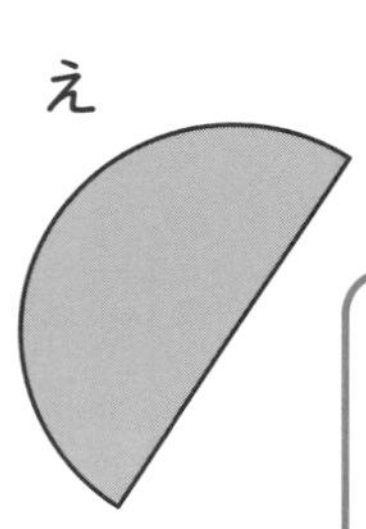

こたえ

38ページの解答

103日目

くわしくは126ページ

104日目 い

105日目 う

このページの解答は 43ページ

ひもがみじかいほうからじゅん番(ばん)にならべてね。

あ　い　う　え

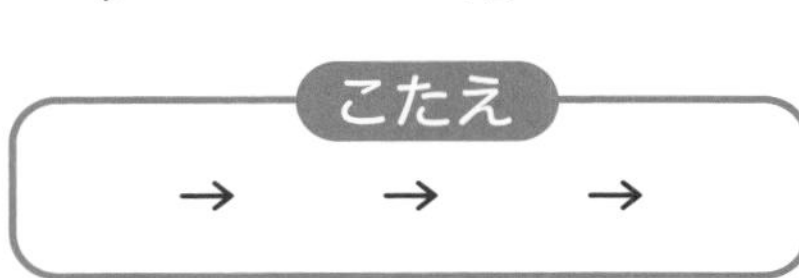

113日目

1りょうに3びきずつのれるれっ車(しゃ)に「ねずみ」からじゅん番(ばん)にのるよ。「いのしし」がのるのは、どれかな？

※「あ」のれっ車(しゃ)からのるよ。

あ　い　う　え

こたえ

114日目

おり紙(がみ)をたて半分(はんぶん)におって、――で切(き)りぬいたよ。切(き)りぬいたものが、「見本(みほん)」の形(かたち)になるのは、どれかな？

あ

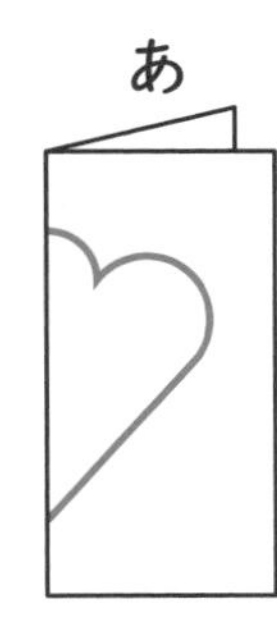

い

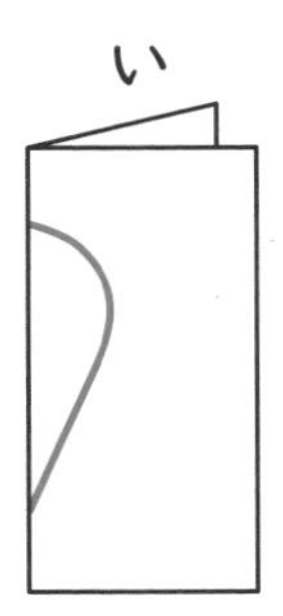

う

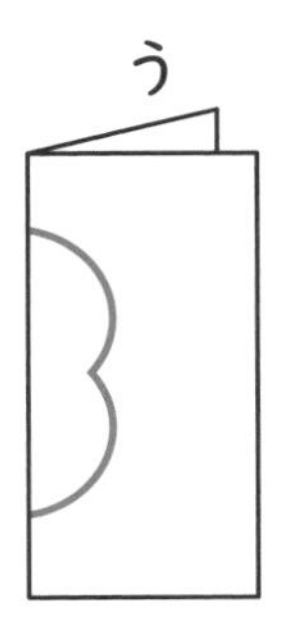

え

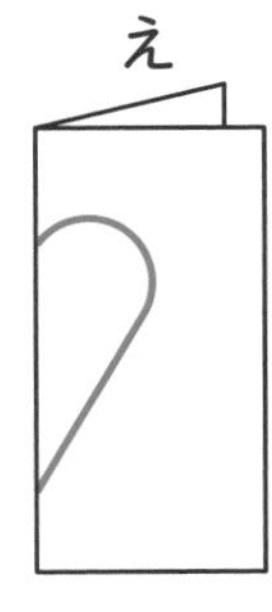

39ページの解答

106日目

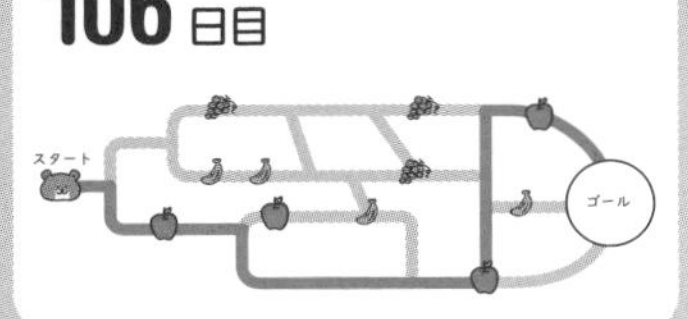

107日目

あー②　いー③

108日目

あとえ

このページの解答は 44ページ

115 日目

数(かず)が同(おな)じものを、線(せん)でむすんでね。

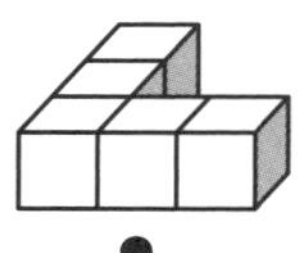
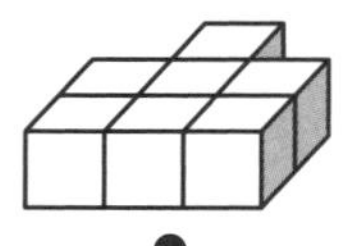
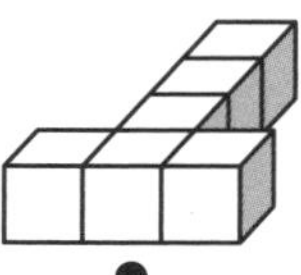
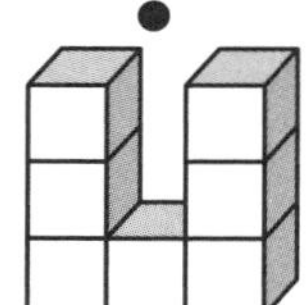
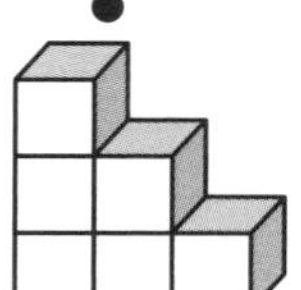
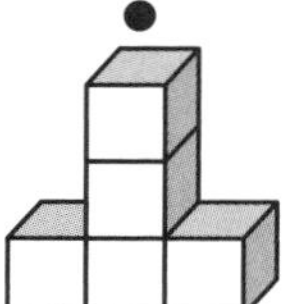

116 日目

お話(はなし)になるように、じゅん番(ばん)にならべてね。

こたえ
→ → →

あ

い

う

え

117 日目

•を線(せん)でむすんで、「見本(みほん)」と同(おな)じ形(かたち)を書(か)いてね。

見本(みほん)
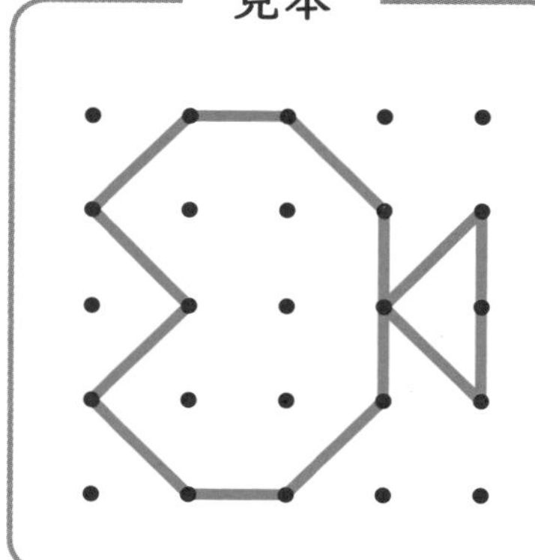

40ページの解答

109日目	110日目	111日目
い	あ	い くわしくは126ページ

郵便はがき

料金受取人払郵便

京都中央局
承認

3252

差出有効期間
2022年7月31日
まで

(切手は不要です)

601-8790

205

京都市南区西九条
北ノ内町十一

PHP研究所
家庭教育普及部
お客様アンケート係 行

1060

ご住所 □□□-□□□□	
TEL：	
お名前	ご年齢　歳
メールアドレス	@

今後、PHPから各種ご案内やメルマガ、アンケートのお願いをお送りしてもよろしいでしょうか？ □YES □NO

<個人情報の取り扱いについて>
ご記入頂いたアンケートは、商品の企画や各種ご案内に利用し、その目的以外の利用はいたしません。なお、頂いたご意見はパンフレット等に無記名にて掲載させて頂く場合もあります。この件のお問い合わせにつきましては下記までご連絡ください。
(PHP研究所　家庭教育普及部　TEL.075-681-8554　FAX.050-3606-4468)

PHPアンケートカード

PHP の商品をお求めいただきありがとうございます。
あなたの感想をぜひお聞かせください。

お買い上げいただいた本の題名は何ですか。

どこで購入されましたか。

ご購入された理由を教えてください。（複数回答可）

1 テーマ·内容 2 題名 3 作者 4 おすすめされた 5 表紙のデザイン
6 その他（ ）

ご購入いただいていかがでしたか。

1 とてもよかった 2 よかった 3 ふつう 4 よくなかった 5 残念だった

ご感想などをご自由にお書きください。

あなたが今、欲しいと思う本のテーマや題名を教えてください。

118日目

みじかいほうからじゅん番（ばん）にならべてね。

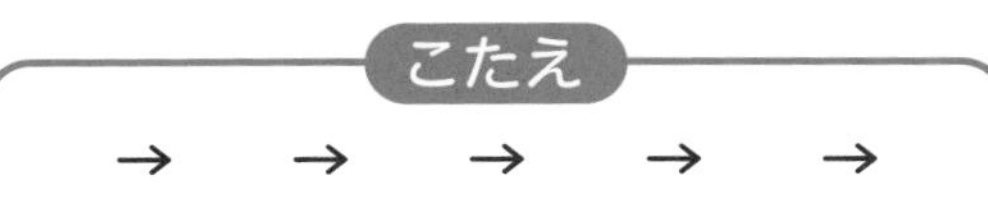

こたえ
→ → → → →

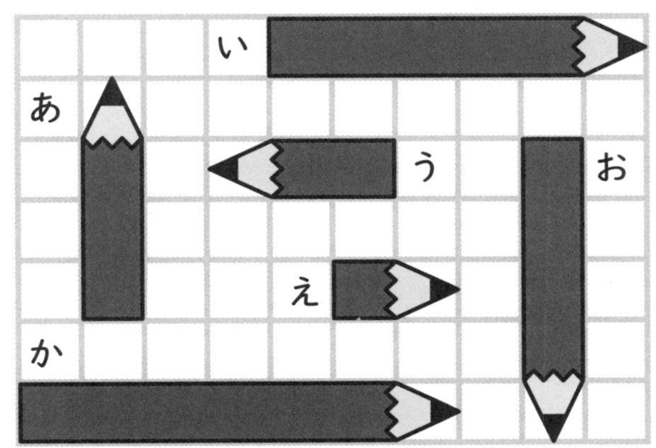

119日目

分（わ）かれ道（みち）をぜんぶ右（みぎ）にすすむと、どこにつくかな？

こたえ

120日目

「たんす」から出（だ）したものを「はこ」に入（い）れたよ。のこっているのは、どれかな？

こたえ

たんす

はこ

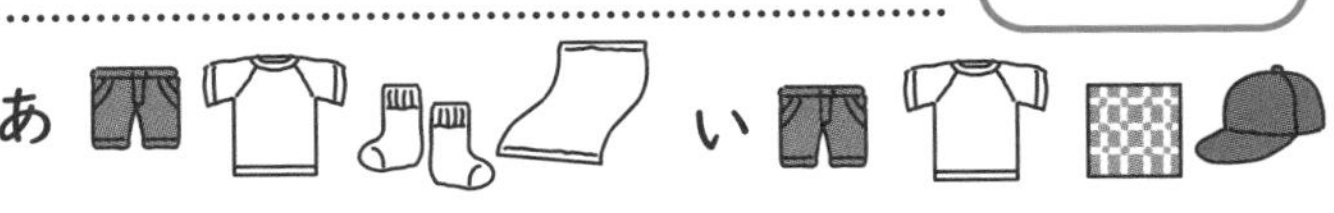

41ページの解答

112日目	113日目	114日目
う→あ→い→え	う	え

このページの解答は 46 ページ

121日目

水(みず)の入(はい)った水(すい)そうに石(いし)を入(い)れたら、どうなるかな？

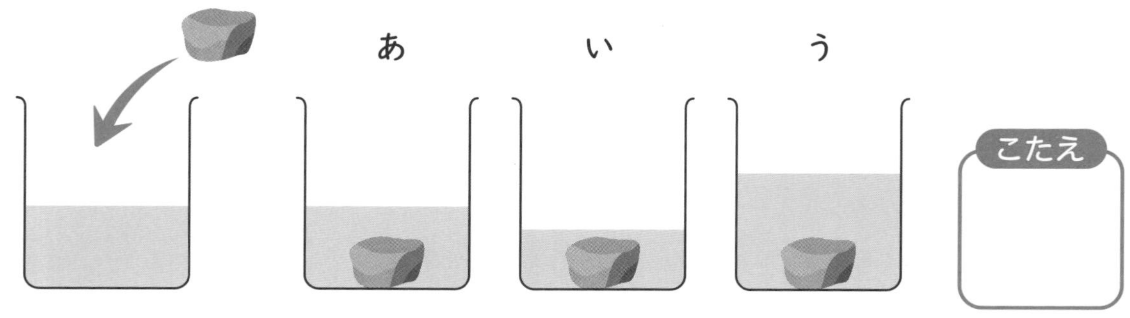

122日目

かんけいのふかいものを、線(せん)でむすんでね。

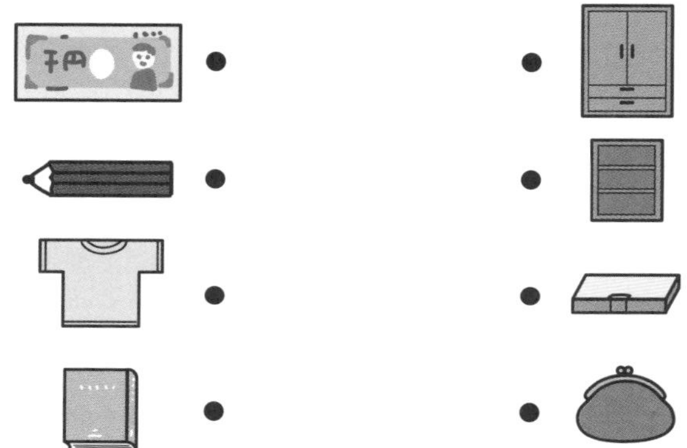

123日目

くまの顔(かお)になるように、右(みぎ)がわに書(か)いてね。

42ページの解答

115日目

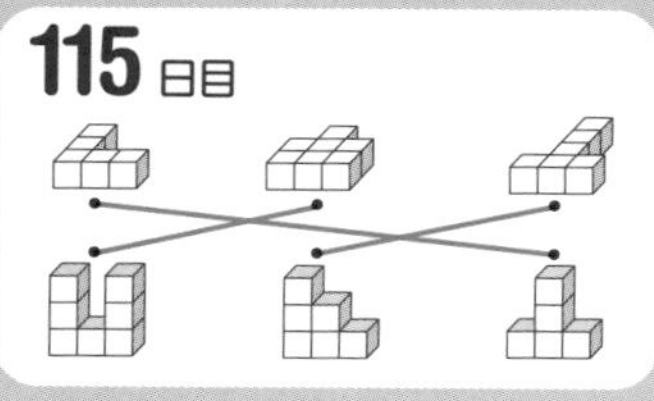

116日目

う→え→い→あ

117日目

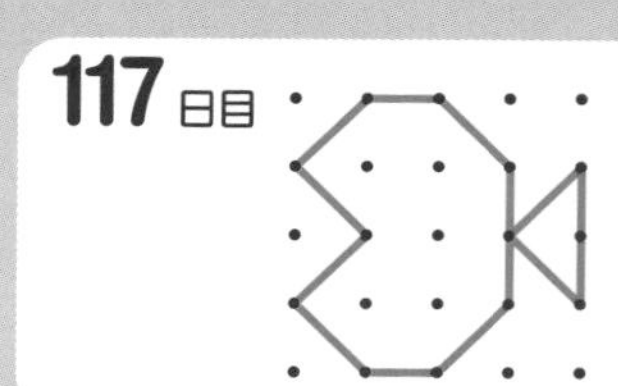

このページの解答は 47ページ

正しい時計は、どれかな？

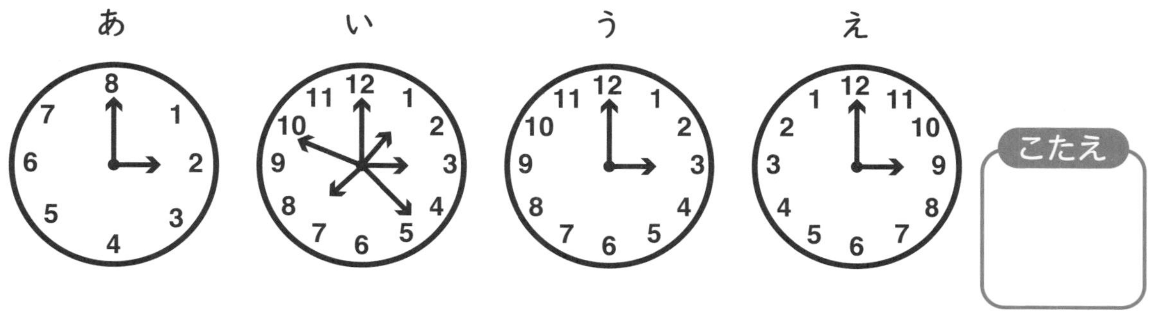

「しりとり」になるように、カードをじゅん番にならべてね。

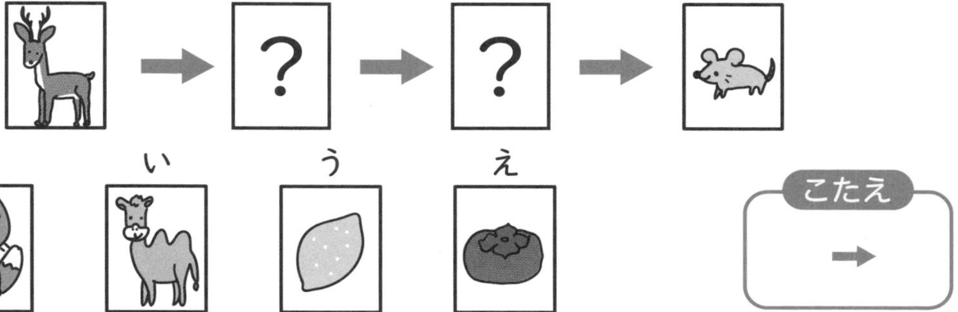

2ひきいるのは、どれかな？

こたえ

43ページの解答

118日目	119日目	120日目
え→う→あ→お→い→か	き	い

このページの解答は 48ページ

127 日目

半分(はんぶん)に切(き)った絵(え)をさがして、線(せん)でむすんでね。

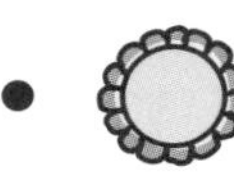

128 日目

「見本(みほん)」のようにシールをはるとき、はるじゅん番(ばん)が正(ただ)しいのは、どれかな？

見本(みほん)

129 日目

たてのれつ、よこのれつ、それぞれに🍌、🍊、🍒が1つずつ入(はい)るよ。?に入(はい)るのは、どれかな？

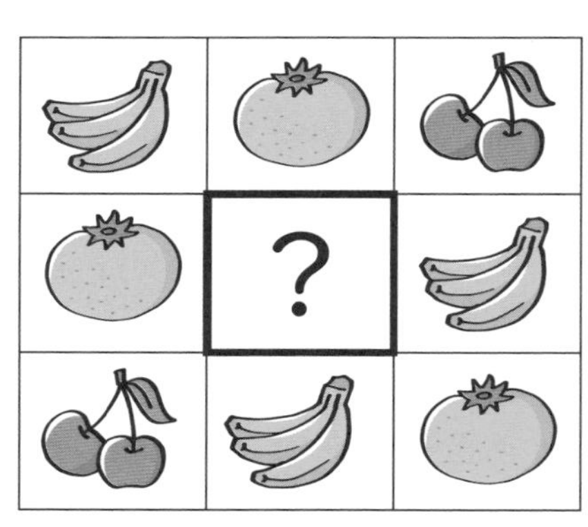

44ページの解答

121日目

う

122日目

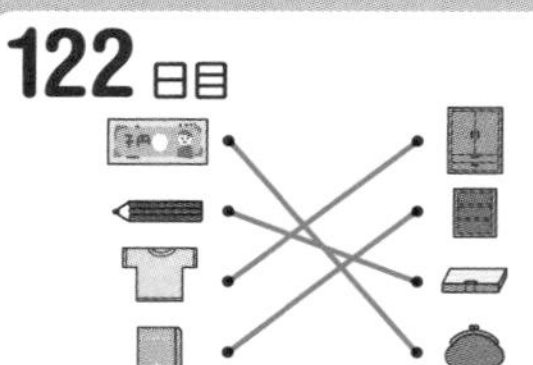

123日目

おもちを、お父さんが3つ、お母さんが2つ食べたよ。のこりはいくつかな？

こたえ

あ
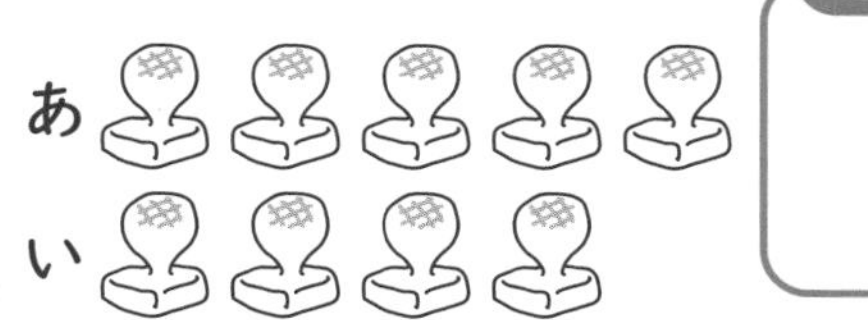

い

う
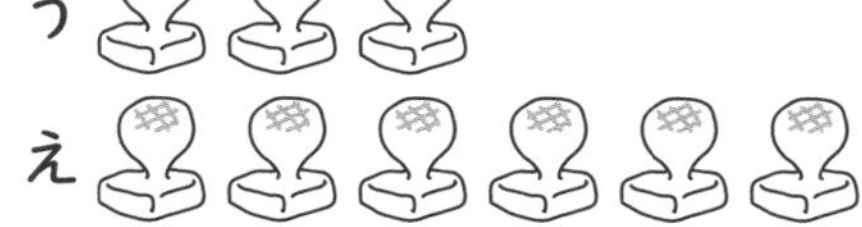

え

数が一番多いのは、どれかな？

132 日目

黒くぬった2まいのとう明な紙をそのままかさねると、どんなふうに見えるかな？

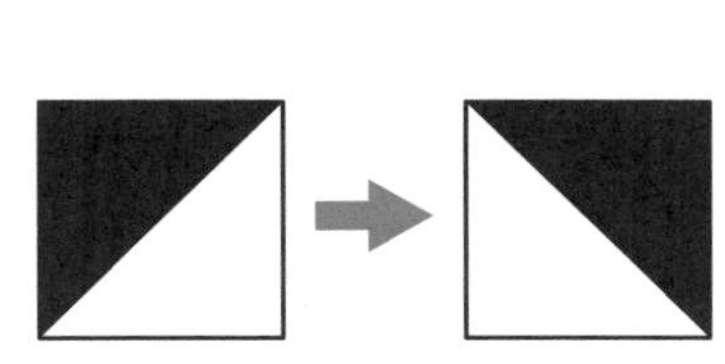

あ
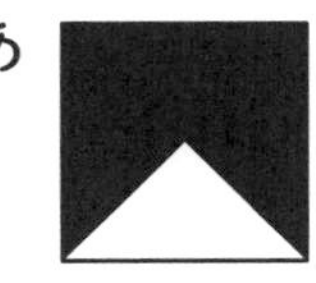

い

う
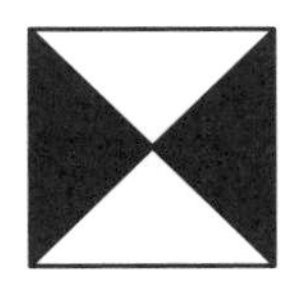

え

45ページの解答

124日目	125日目	126日目
う	え→あ	う

このページの解答は 50ページ

133日目

一番かるいのは、だれかな？

134日目

花だんの花を同じ数になるように4人で分けると、ひとり分は何本かな？

135日目

同じ数のものを、線でむすんでね。

46ページの解答

127日目

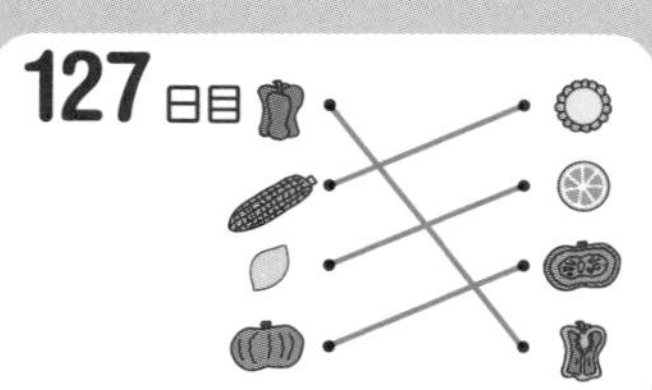

128日目 あ

129日目 う

このページの解答は 51 ページ

点線をなぞってね。

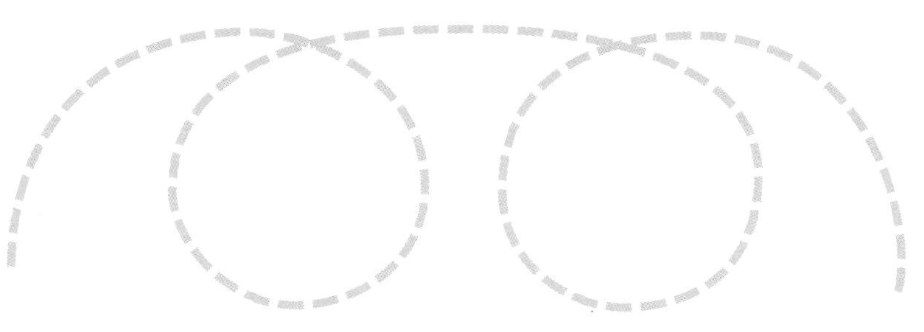

137 日目

「見本」と同じ組み合わせは、どれかな？

見本

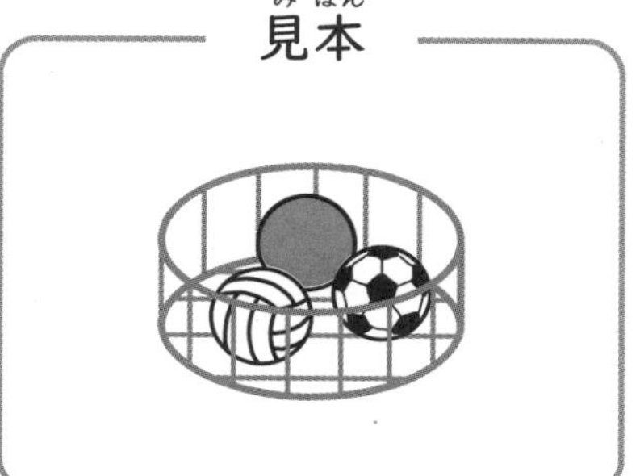

あ

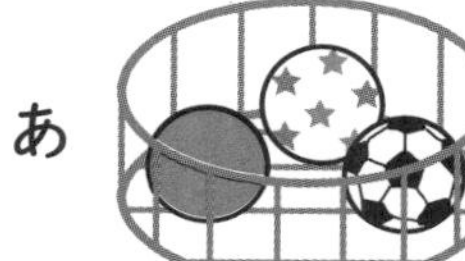

い

う

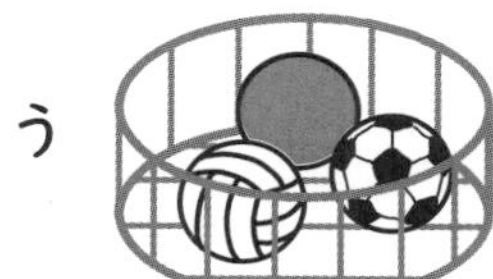

え

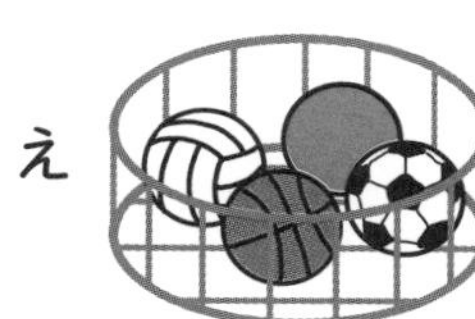

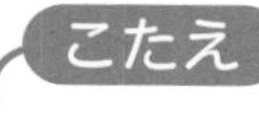

138 日目

「見本」の三角形を４つならべてできる形は、どれかな？

見本

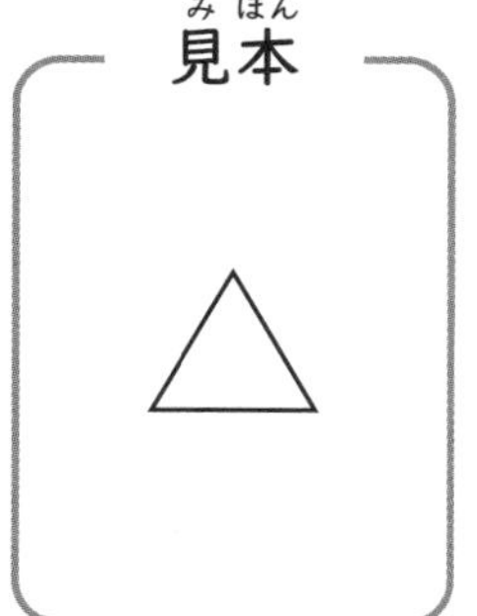

あ

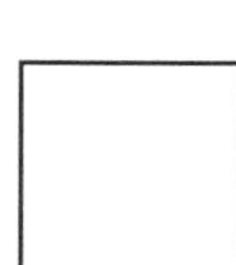

い　う　え

こたえ

47 ページの解答

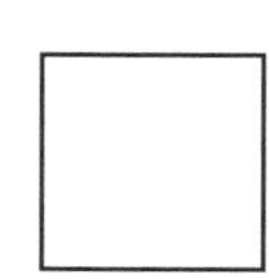

130日目	131日目	132日目
い	い	あ

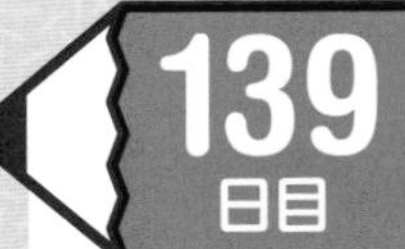

かこいの中のぶたと同じ数にするには、馬をあと何頭ふやせばいいかな？

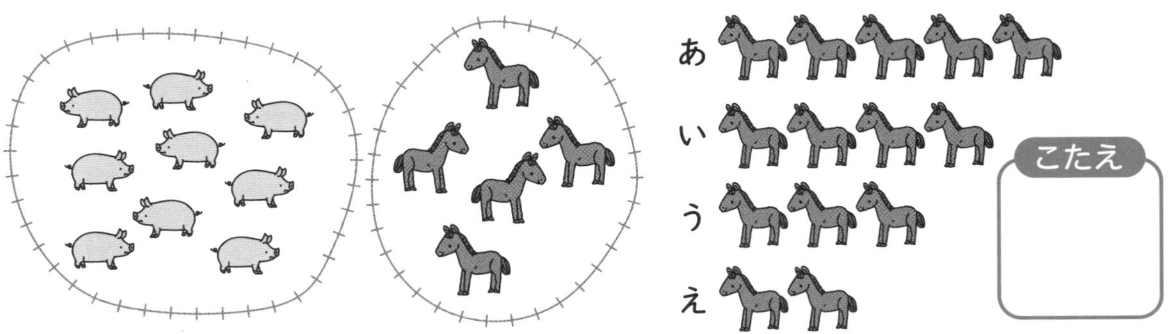

140 日目

ケーキを作るときにつかわないのは、どれかな？

あ 

い 

う 

え 

こたえ

141 日目

●からはじめて、ひとふでで書いてね。

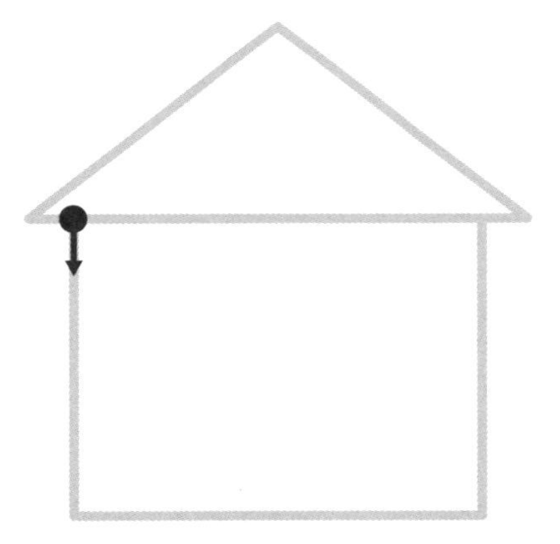

48 ページの解答

133 日目 う

134 日目 え

135 日目

くわしくは126ページ

このページの解答は 53ページ

「見本」を矢じるしの方こうにカタンカタンと回していくと、?に入るのは、どれかな?

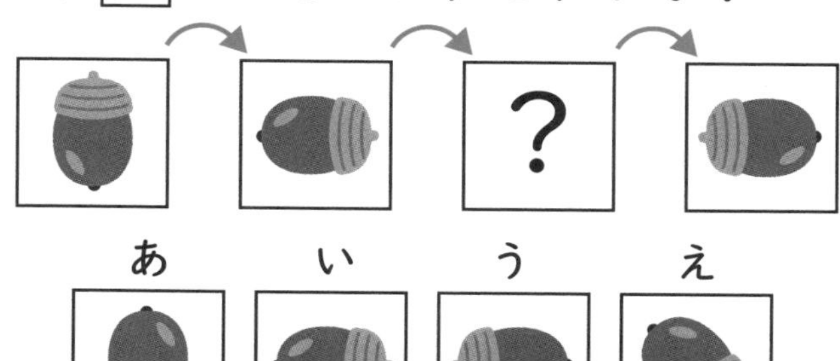

見本

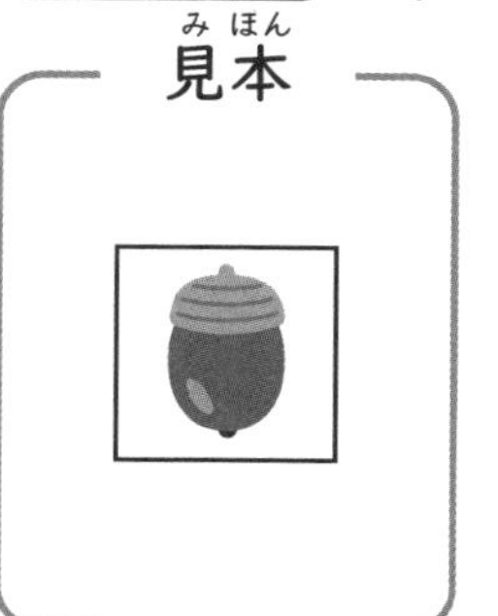

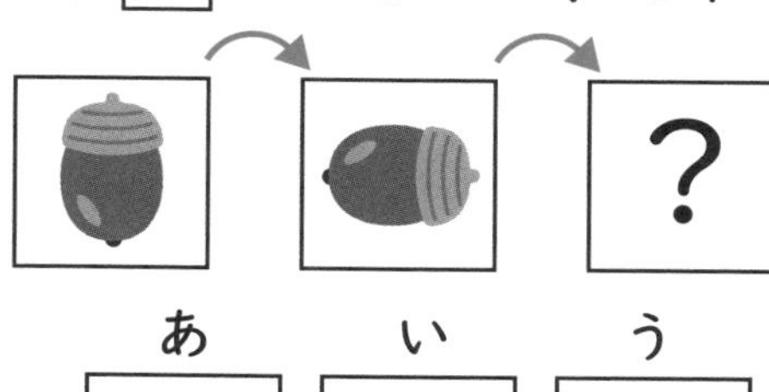

あ い う え

「見本」のつみ木を女の子から見ると、どう見えるかな?

見本

あ い う え

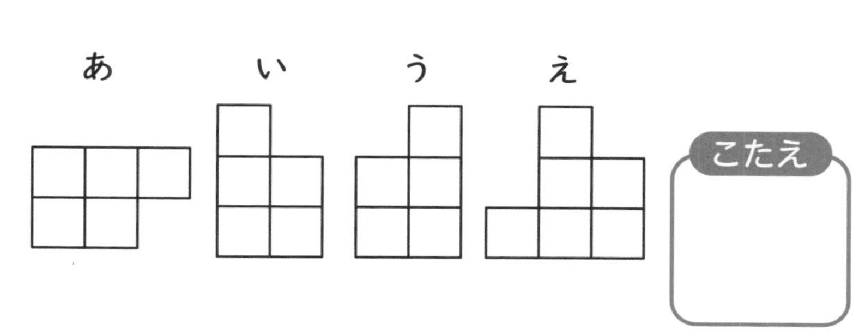

からすはぜんぶで何羽いるかな?

あ

い

う

え

49ページの解答

136日目

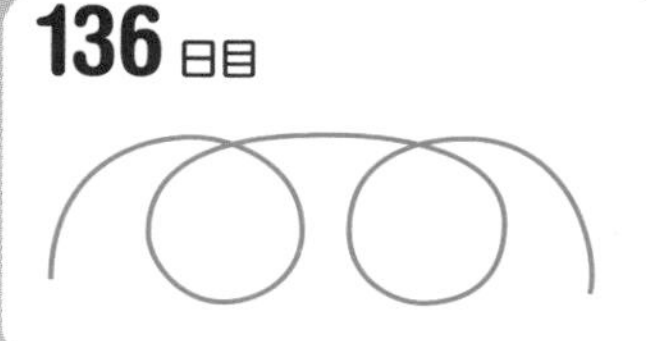

137日目 う

138日目 う

このページの解答は 54ページ

145日目

うさぎの２つとなりのどうぶつは、だれとだれかな？

あ

い

う

え

146日目

「見本」のかげ絵は、どれかな？

あ

い

う

え

147日目

分かれ道で右→左→右にすすむと、だれがいるかな？

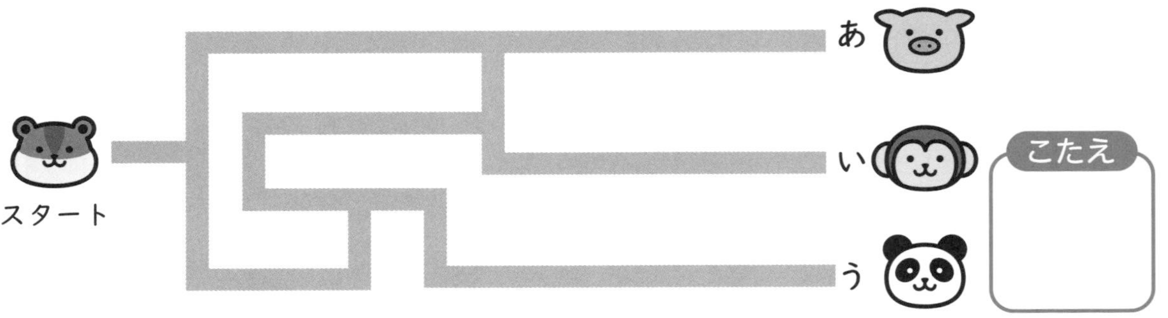

50ページの解答

139日目	140日目	141日目
い	い	 くわしくは126ページ

このページの解答は 55ページ

148日目

こたえ
→　→　→

ひもが長い（なが）じゅんにならべてね。

あ 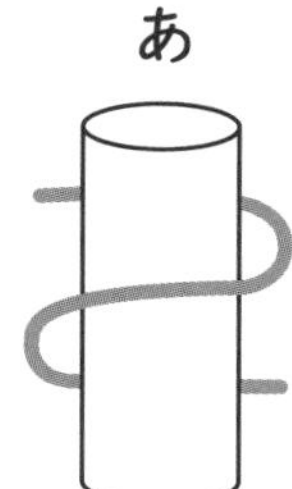
い 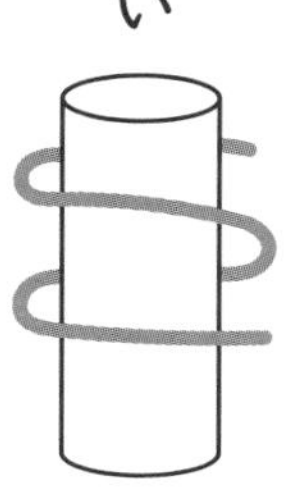
う 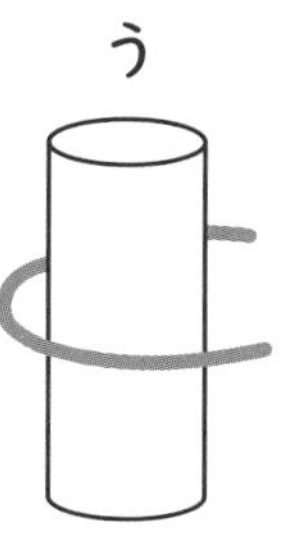
え 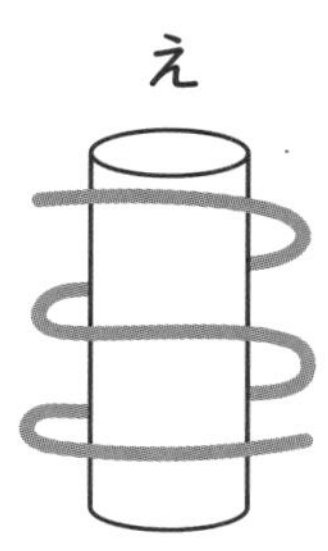

149日目

かんけいのふかいものを、線（せん）でむすんでね。

 ・　　・ 

 ・　　・ 

 ・　　・ 

150日目

どろぼうがぬすんだのは、どれかな？

どろぼうだ！

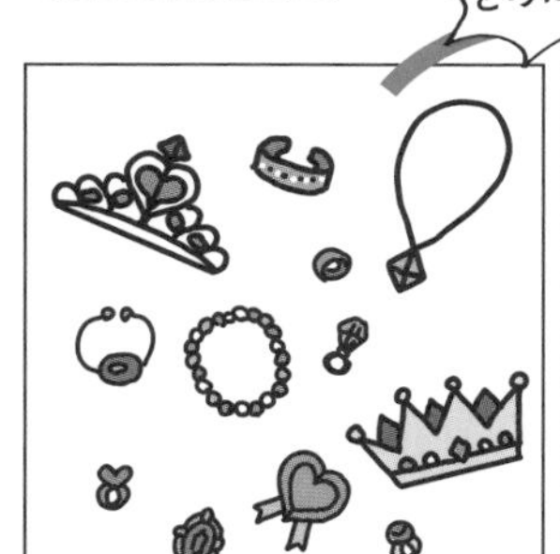
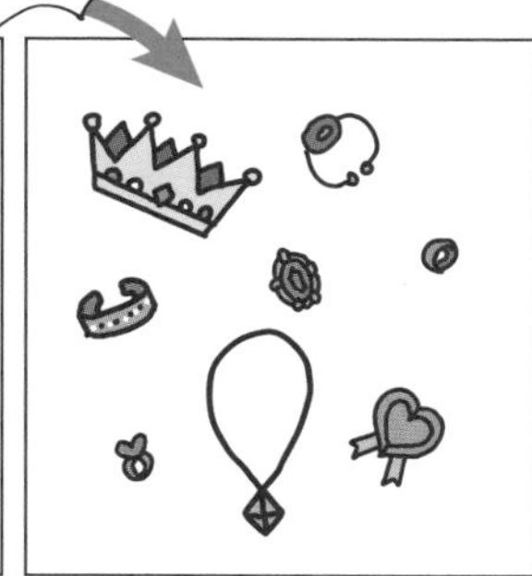

あ 

い
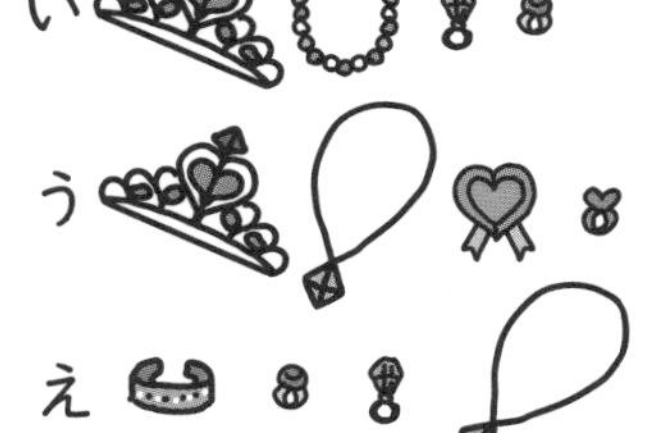
う

え

51ページの解答

142日目	143日目	144日目
あ	い	う

このページの解答は 56ページ

151日目

めいろをたどってりんごのところに行けるどうぶつは、だれかな？

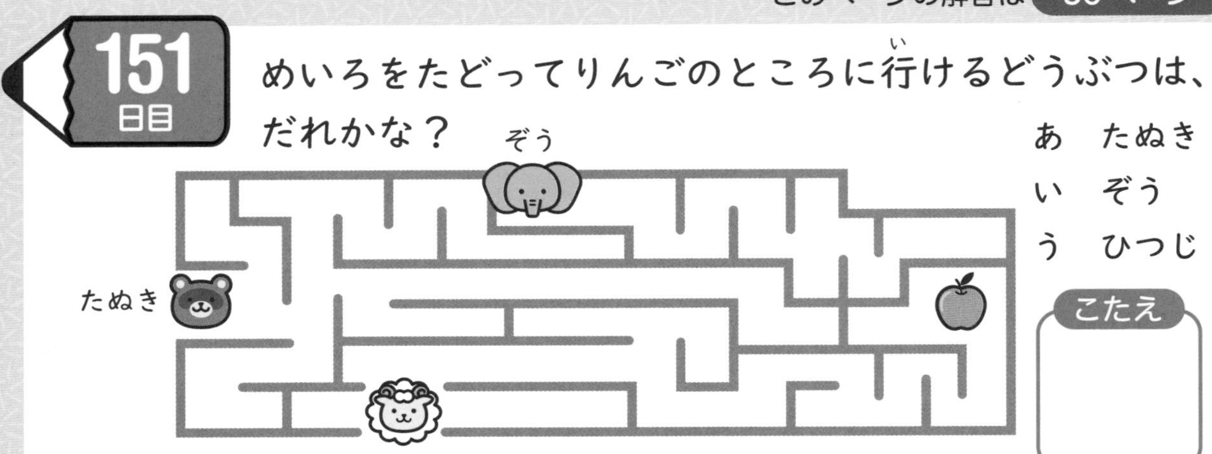

あ たぬき
い ぞう
う ひつじ

こたえ

152日目

「ふしぎなはこ」に石を入れると数が少なくなるよ。3こ入れると、どうなるかな？

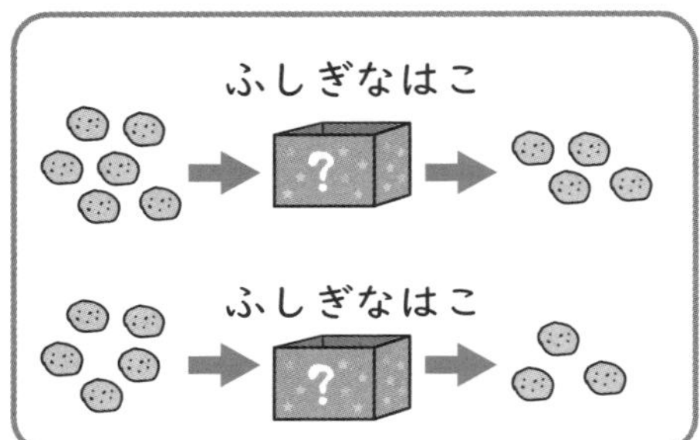

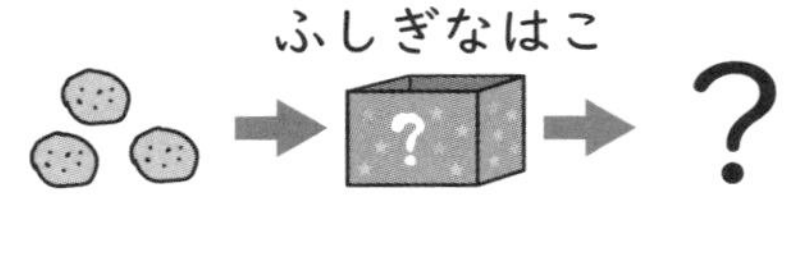

あ い う え

153日目

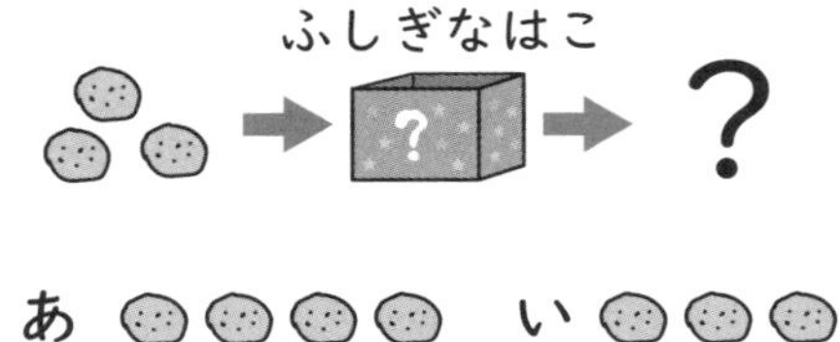

「見本」の形は □ が何こと ◺ が何こで作れるかな？

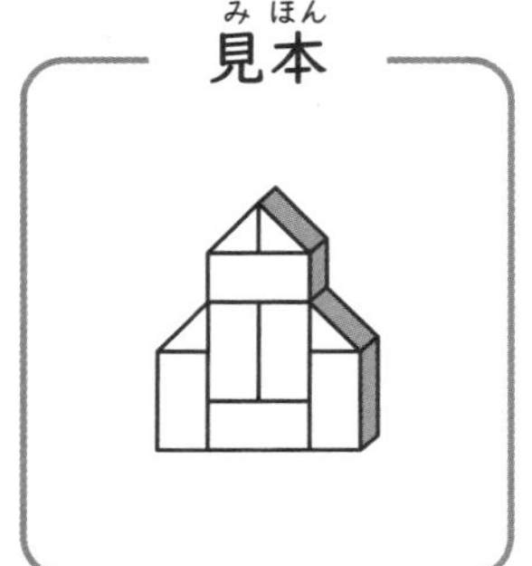

あ
い
う
え

52ページの解答

145日目	146日目	147日目
う	い	い

このページの解答は 57ページ

じゅん番にならべてね。

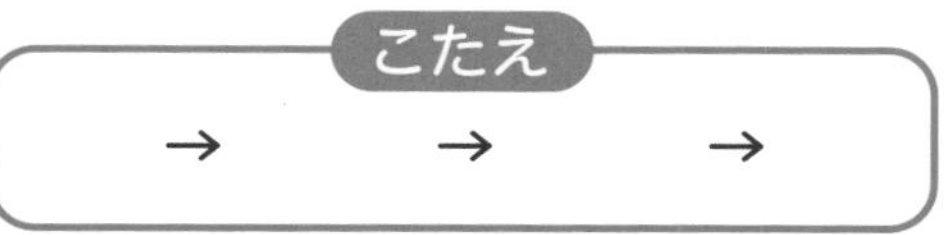

あ

い

う

え

155 日目

「見本」と同じになるように、色をぬってね。

見本

156 日目

「見本」の男の子がかがみの前に立つと、かがみには、どんなふうにうつっているかな？

あ

い

う

え

53 ページの解答

148 日目

え→い→あ→う

149 日目

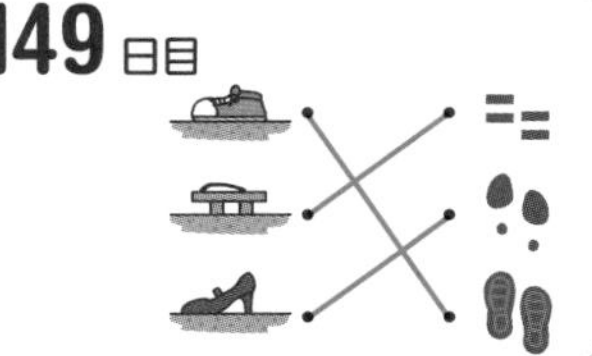

150 日目

い

このページの解答は 58ページ

157日目 どのように切(き)れば、「見本(みほん)」のように見(み)えるかな？

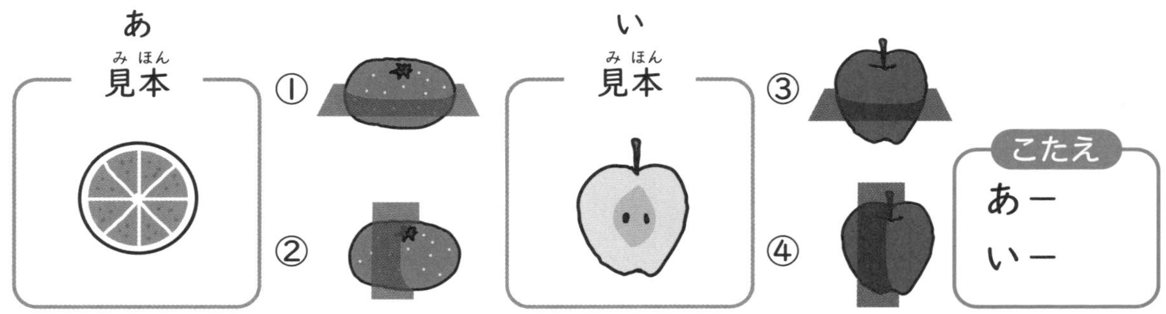

158日目 つみ木(き)は何(なん)こふえたかな？

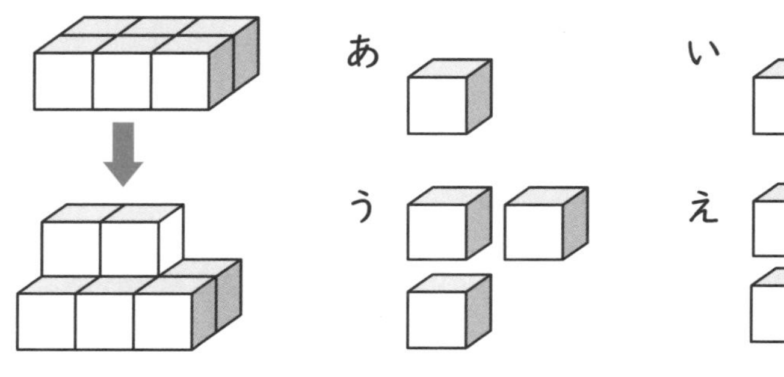

159日目 「見本(みほん)」と同(おな)じものは、どれかな？

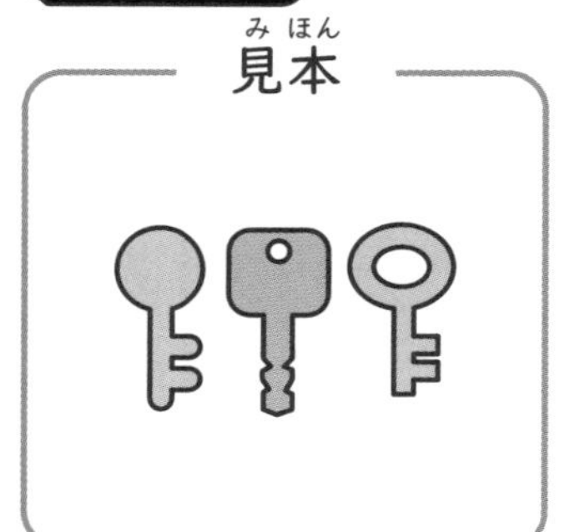

あ 

い 

う 

え

54ページの解答

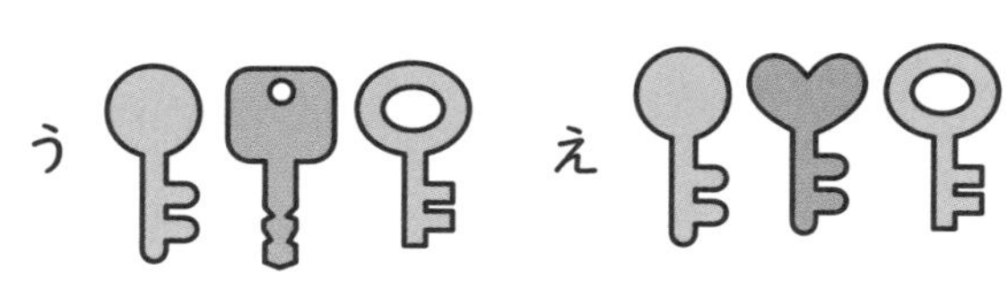

151日目	152日目	153日目
う	え	あ

このページの解答は 59ページ

160日目

●を線でむすんで、「見本」と同じ形を書いてね。

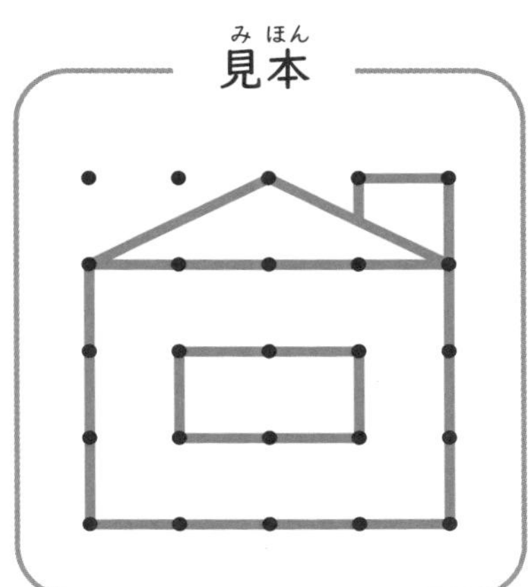

161日目

「見本」のパズルを作るとき、つかわないものは、どれかな？

見本

あ

い

う

え

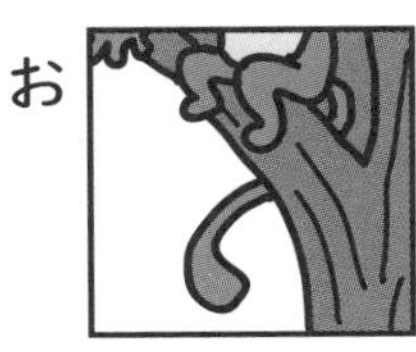

お

こたえ

162日目

? に入るのは、どれかな？

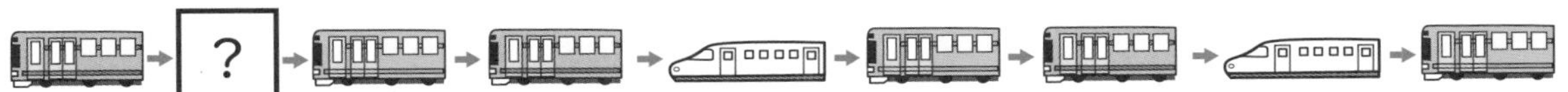

あ　い　う

こたえ

55ページの解答

154日目

い→え→あ→う

155日目

156日目

あ

このページの解答は 60ページ

163日目

つみ木の数が多いじゅんにならべてね。

あ

い

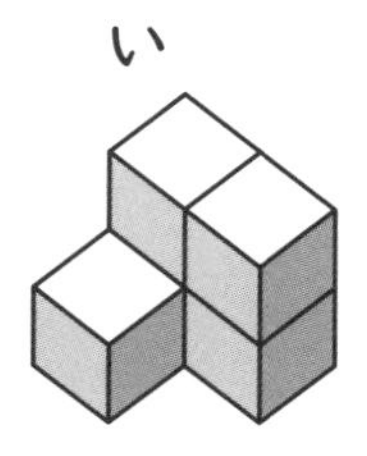

う　え

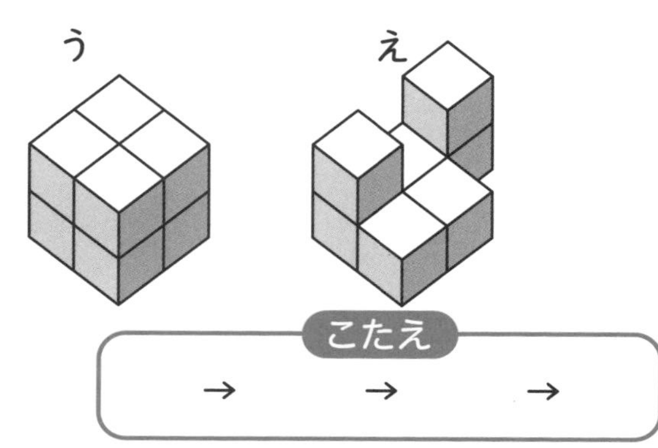

164日目

色がついているところが広いのは、どちらかな？

あ

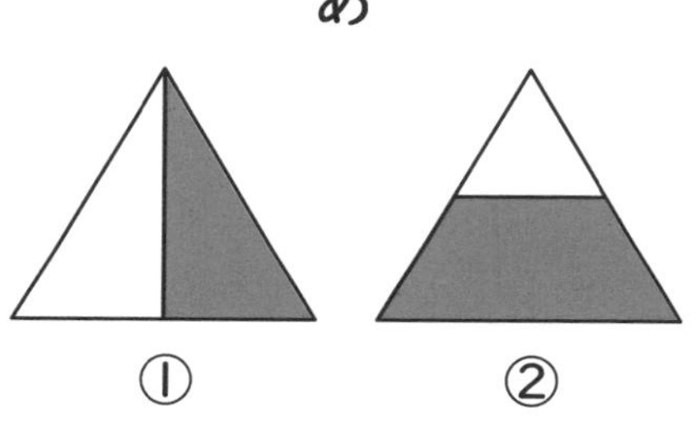

い

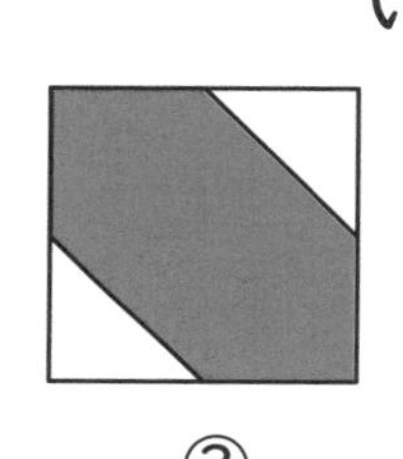

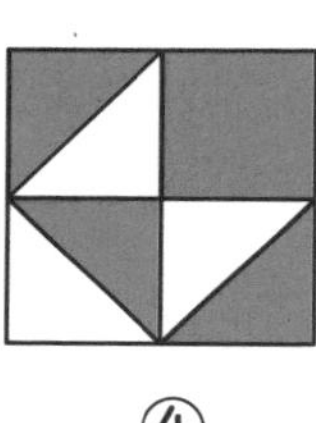

165日目

右の絵と左の絵には、ちがうところが4つあるよ。どこかな？　右の絵に○をつけてね。

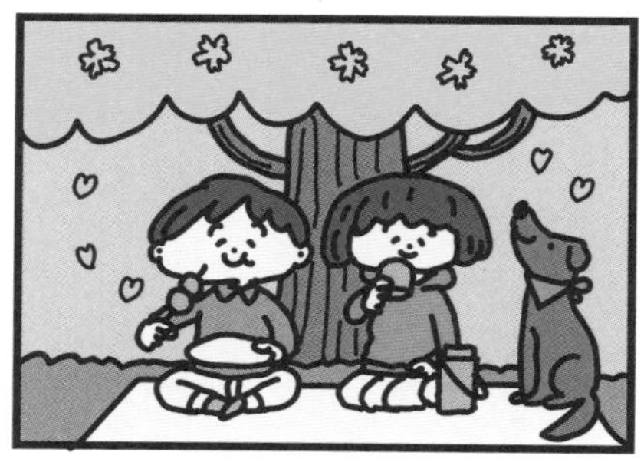

56ページの解答

157日目	158日目	159日目
あー①　いー④	い	う

166日目

点線をなぞってね。

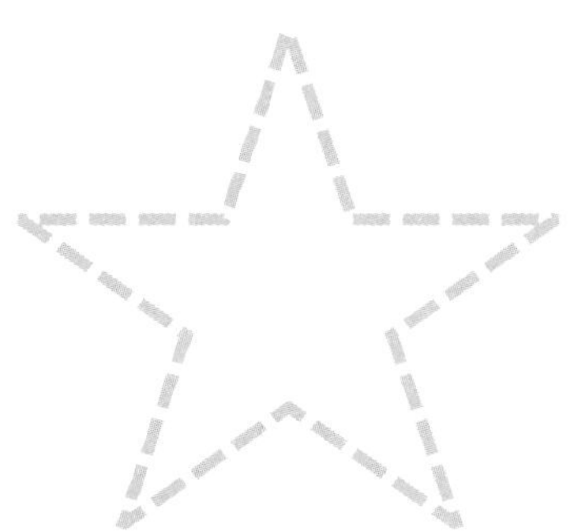

167日目

「見本」の形から三角形を１つだけうごかして、作れないのはどれかな？

見本

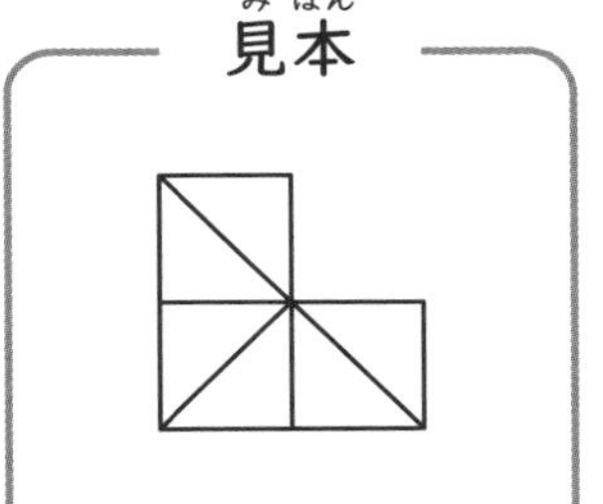

あ

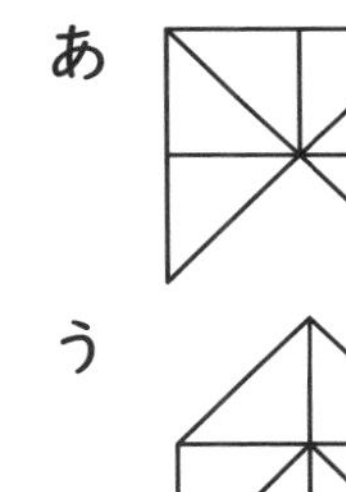

い

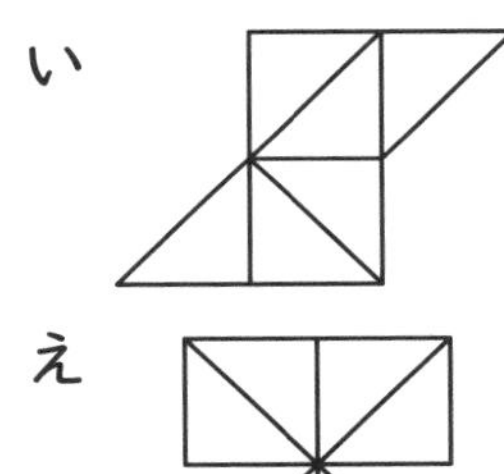

う

え

こたえ

168日目

１つだけなか間ではないのは、どれかな？

あ

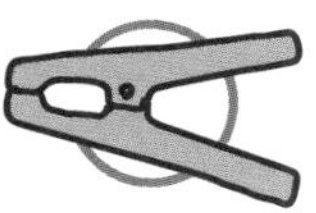

い

う

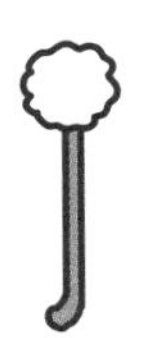

え

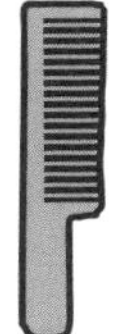

こたえ

57 ページの解答

160日目

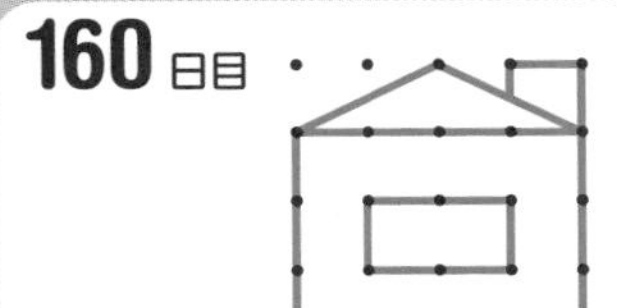

161日目 い

162日目 う

このページの解答は 62ページ

169日目

同じ数のものを、線でむすんでね。

170日目

「見本」のつみ木をま上から見ると、どう見えるかな？

見本

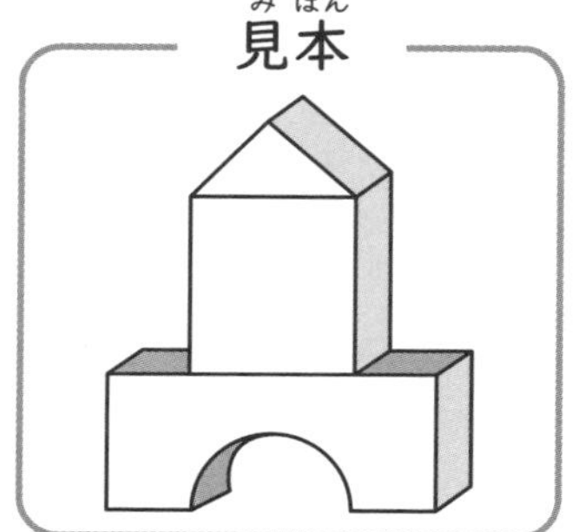

あ

い

う

え

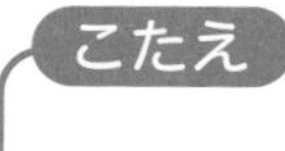

こたえ

171日目

おり紙を------でおって、——を切ってひらくと、どれになるかな？

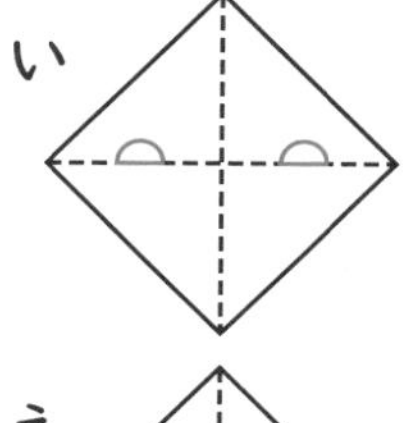

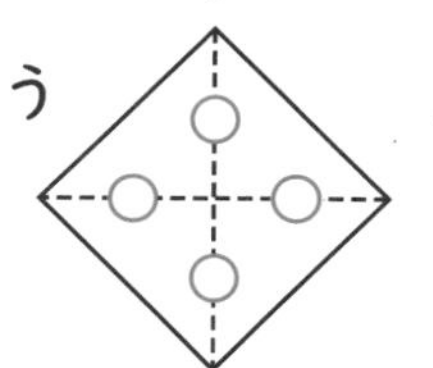

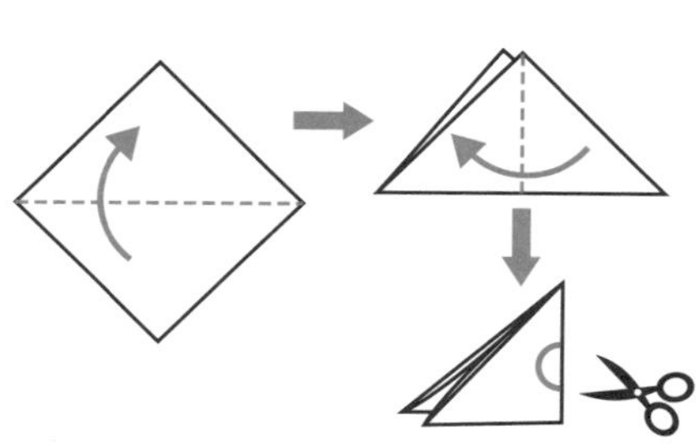

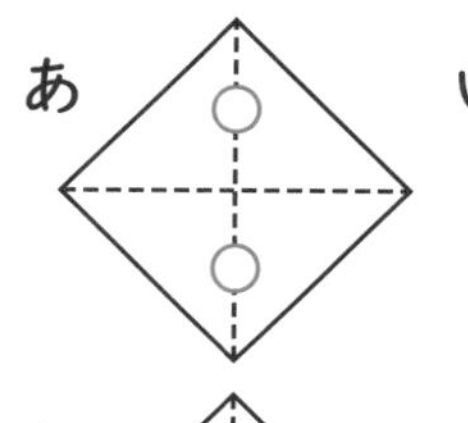

あ

い

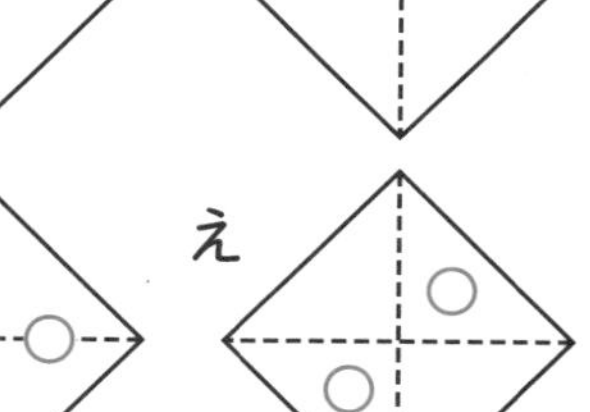

う

え

こたえ

58ページの解答

163日目

う→え→あ→い

164日目

あ－②　い－③

165日目

このページの解答は 63ページ

172 日目

ぜんぶのりすにどんぐりを3つずつ分(わ)けたとき、のこったどんぐりは、いくつかな？

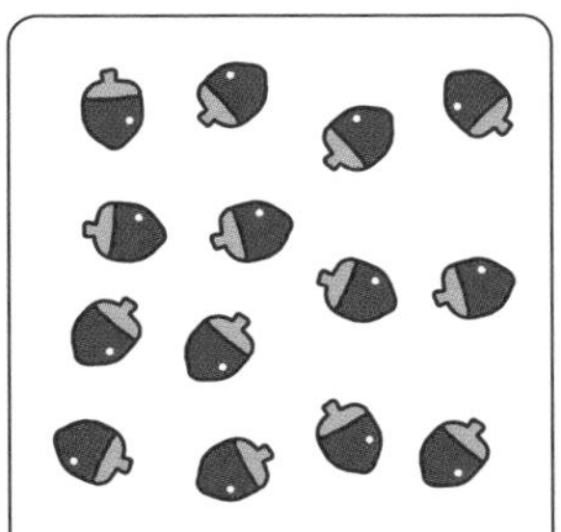

あ  い 

う え 

こたえ

173 日目

「見本(みほん)」のはんこをおしてうつるのは、どれかな？

見本(みほん)

あ  い 

う  え 

こたえ

174 日目

「見本(みほん)」と同(おな)じ組(く)み合(あ)わせは、どれかな？

こたえ

見本(みほん)

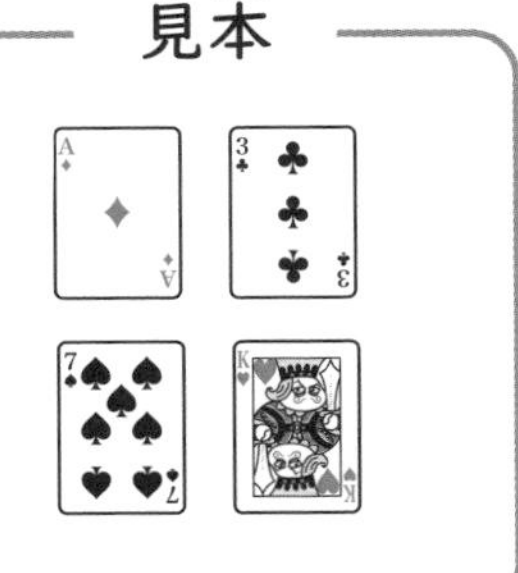

あ 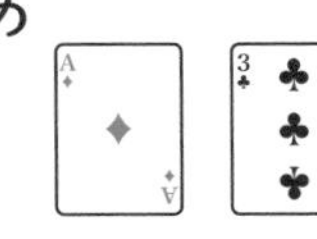  

い 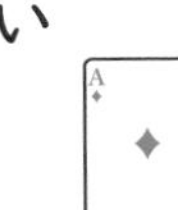 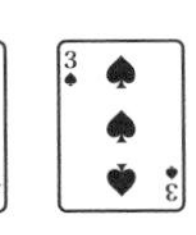  

う  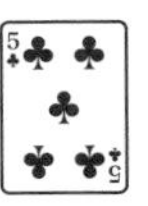 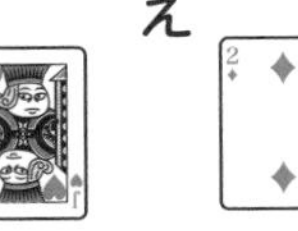

え 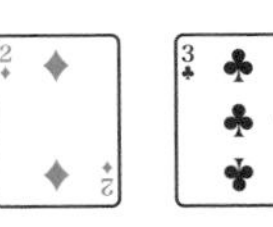  

59ページの解答

166日目

167日目

う

168日目

あ

くわしくは126ページ

このページの解答は 64ページ

・を線でむすんで、三角形のやねを書いてね。

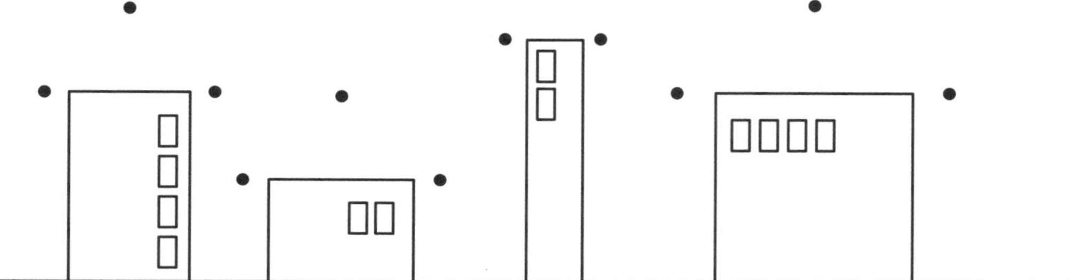

「見本」の形を作るとき、つかわないものは、どれかな？

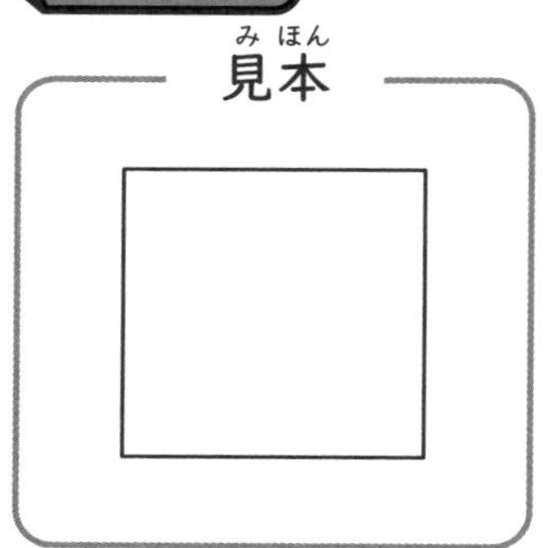

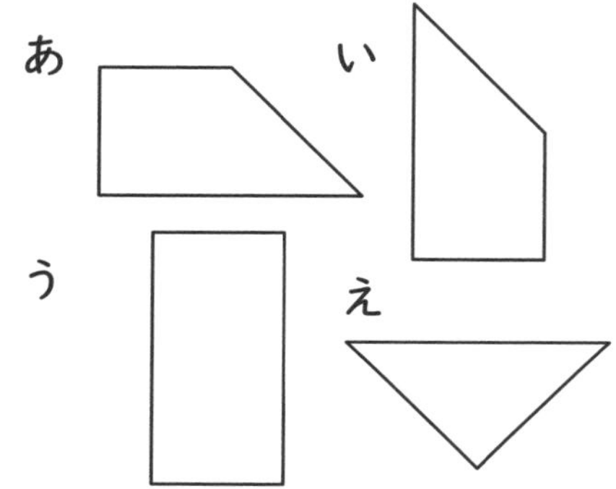

ひものりょうはしを矢じるしの方こうに引っぱってできるのは、どれかな？

こたえ

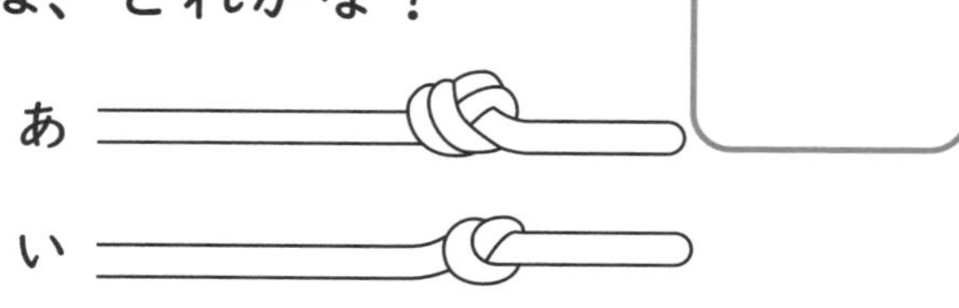

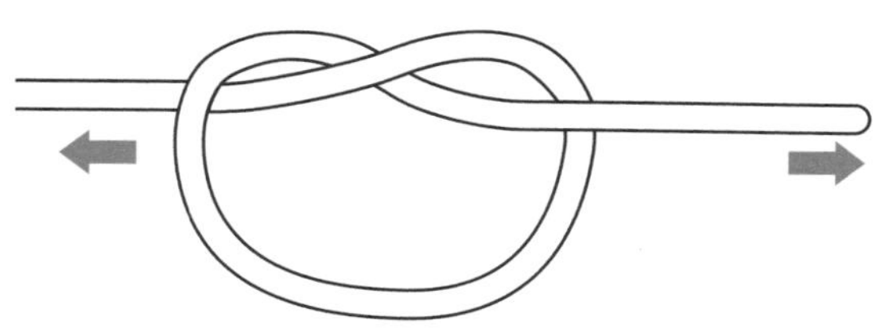

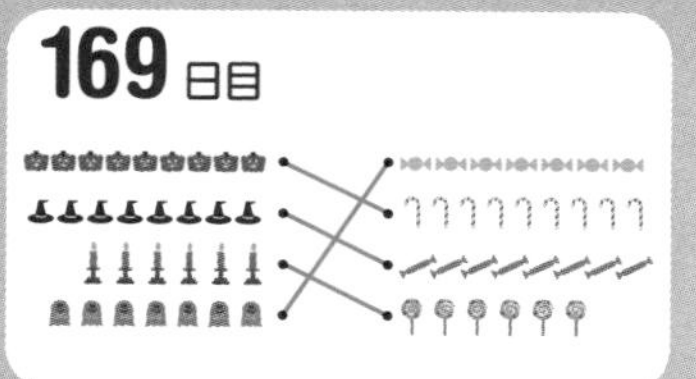

このページの解答は 65ページ

178日目

「見本」のように○、△、□をかさねたとき、一番大きいのはどれかな？

見本

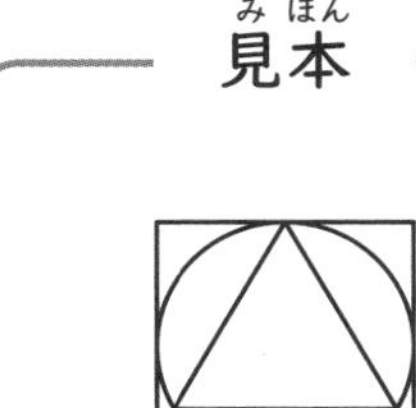

あ

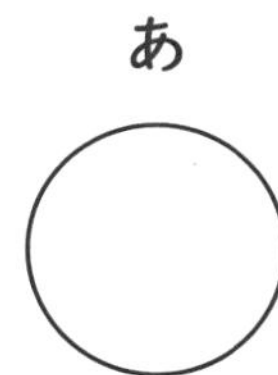

い

う

179日目

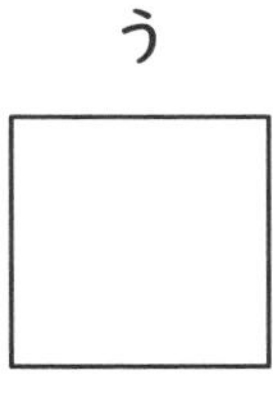

ライオンがいる場しょをせつ明するとき、まちがっているのは、どれかな？

あ　下から３つめ、右から５つめ
い　上から２つめ、左から３つめ
う　左から２つめ、上から３つめ
え　右から５つめ、上から２つめ

こたえ

180日目

かんけいのふかいものを、線でむすんでね。

61ページの解答

172日目	173日目	174日目
い	え	あ

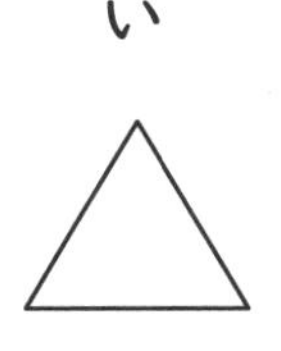

このページの解答は 66ページ

181日目

ちょうちょの数が多いほうの道をえらんで、花ばたけまで行ってね。

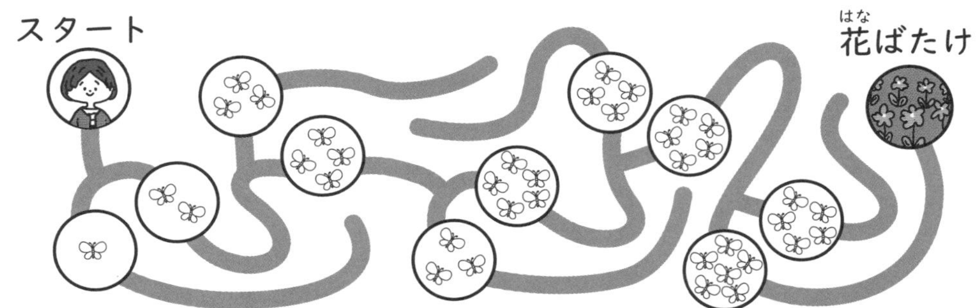

182日目

ひもを——で切るよ。長いじゅんにならべてね。

こたえ
→ → →

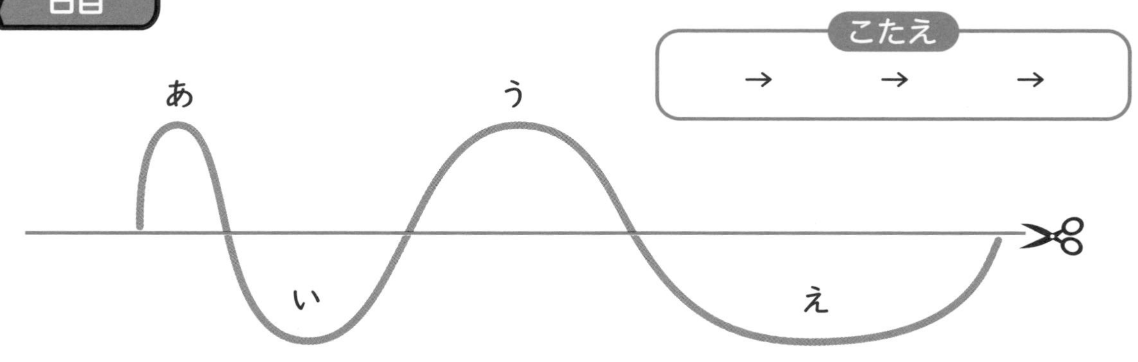

183日目

3つあるのは、どれかな？

こたえ

62ページの解答

175日目

176日目

う

くわしくは126ページ

177日目

い

このページの解答は 67ページ

184日目

「見本」のように切ったときの切り口は、どれかな？

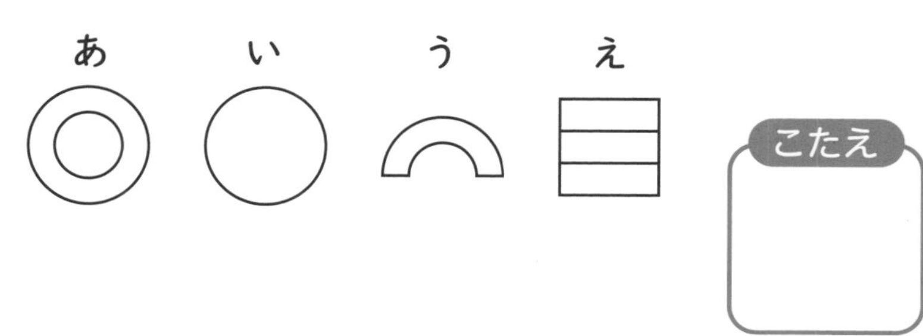

こたえ

185日目

「見本」と同じになるように、色をぬってね。

見本

186日目

トランプを矢じるしの方こうにカタンカタンと回していくと、?に入るのは、どれかな？

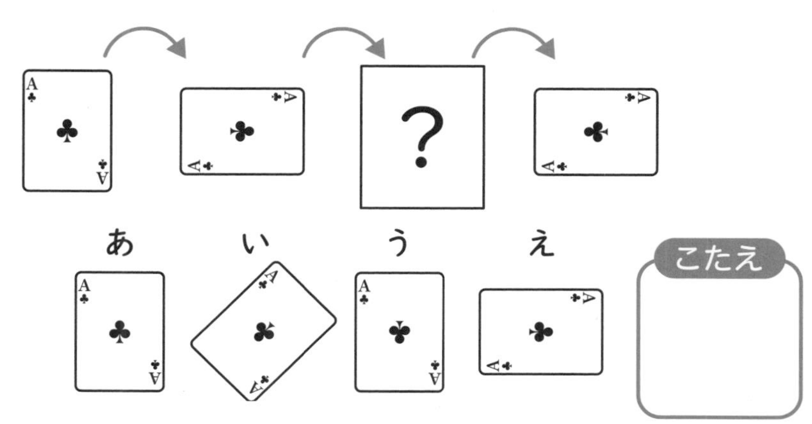

こたえ

63ページの解答

178日目 う

179日目 う

180日目

くわしくは126ページ

このページの解答は 68ページ

187日目

「しりとり」になるように、じゅん番(ばん)にならべてね。

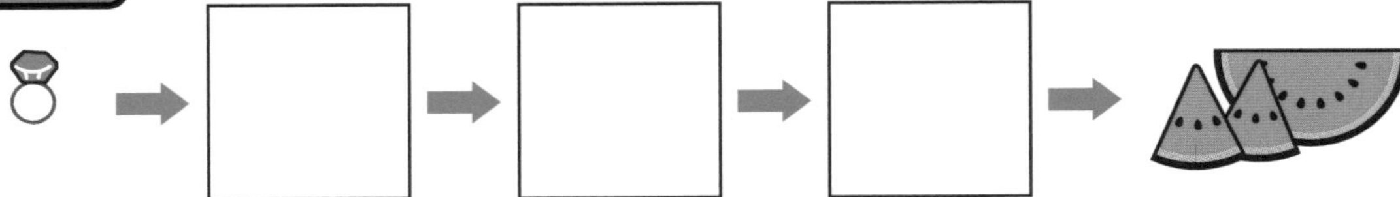

あ

い

う

え

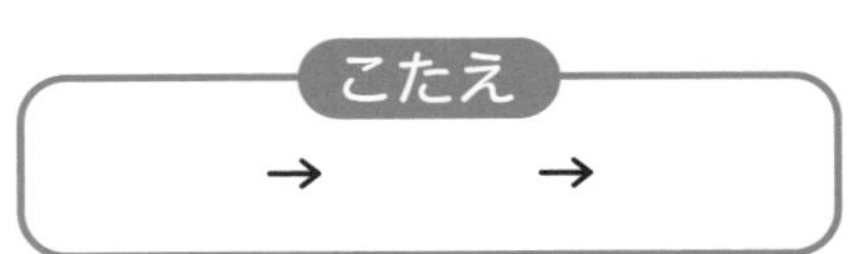

こたえ

→　→

188日目

あなたでもうんてんできるのは、どれかな？

あ

い

う

え

こたえ

189日目

じゅん番(ばん)にならべてね。

こたえ

→　→　→

あ

い

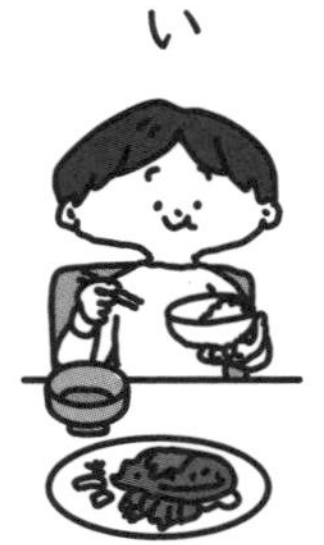

う

え

64ページの解答

181日目

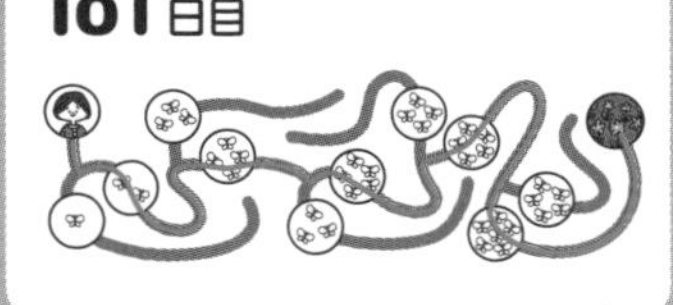

182日目

え→う→い→あ

183日目

え

このページの解答は 69ページ

190日目

・を線でむすんで、「見本」と同じ形を書いてね。

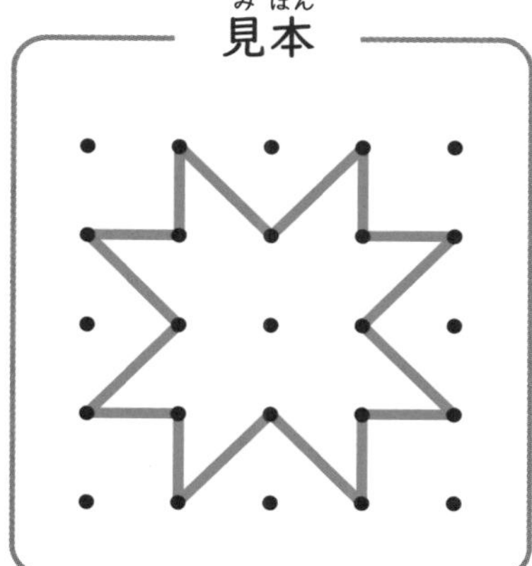

191日目

□に入るのは、どれかな？

あ 

い 

う 

え 

こたえ

①－

②－

192日目

2番目に多いのは、どれかな？

あ 

い 

う 

え

こたえ

65ページの解答

184日目 あ

185日目 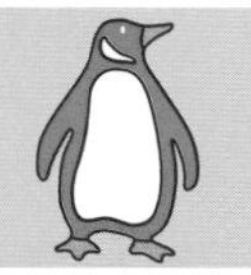

186日目 う

このページの解答は 70ページ

193 日目

ありはぜんぶで何(なん)びきいるかな？

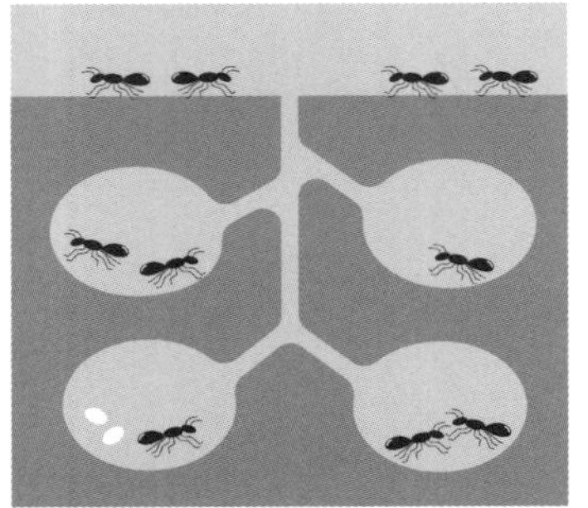

あ い
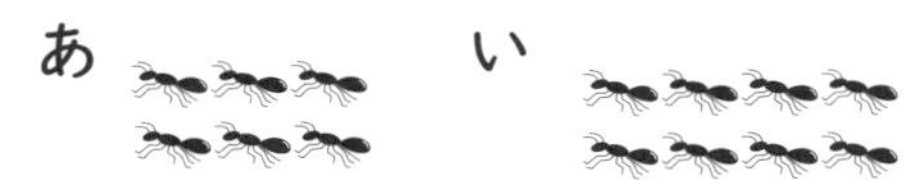

う え

194 日目

色(いろ)がついているところの広(ひろ)さがちがうのは、どれかな？

あ
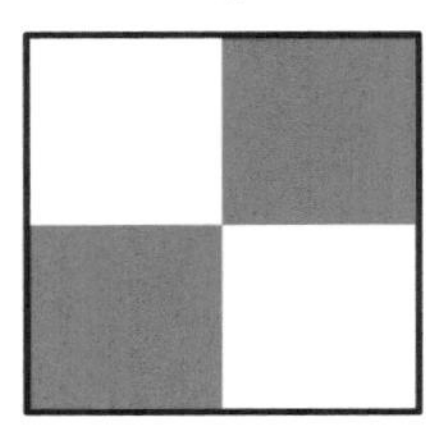

い
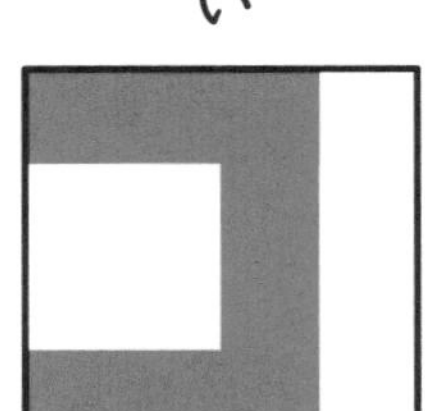

う
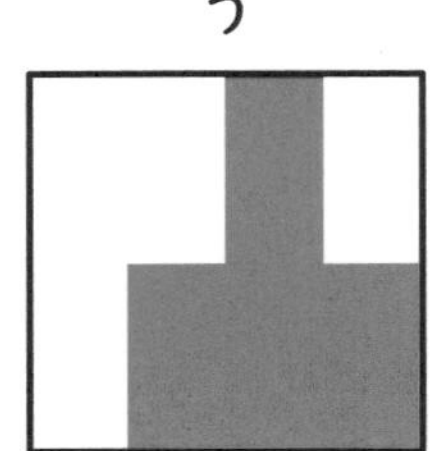

え
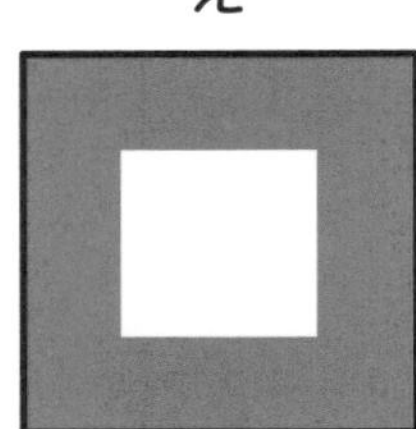

195 日目

てんかい図(ず)を組(く)み立(た)てたとき、「見本(みほん)」の立体(りったい)にならないのはどれかな？

見本(みほん)

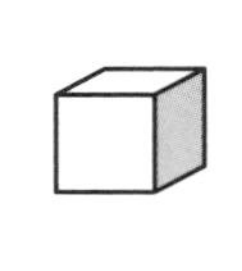

あ
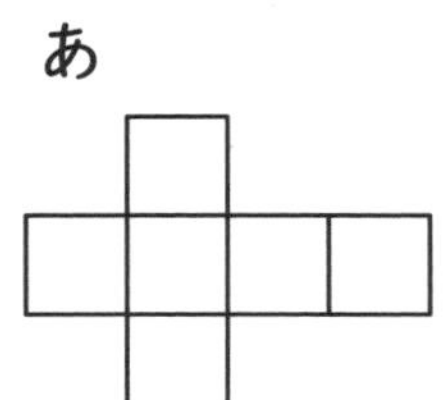

い
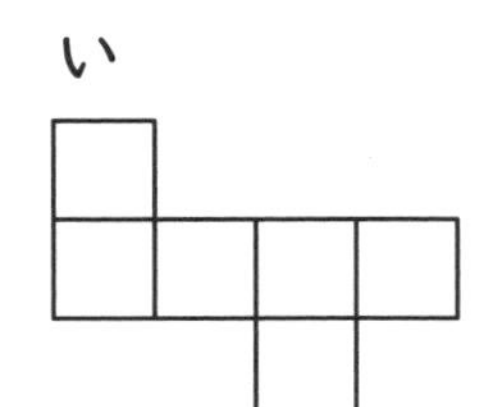

う
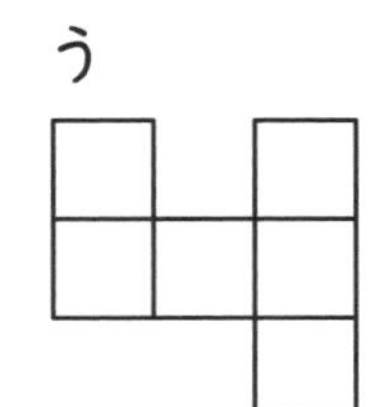

え
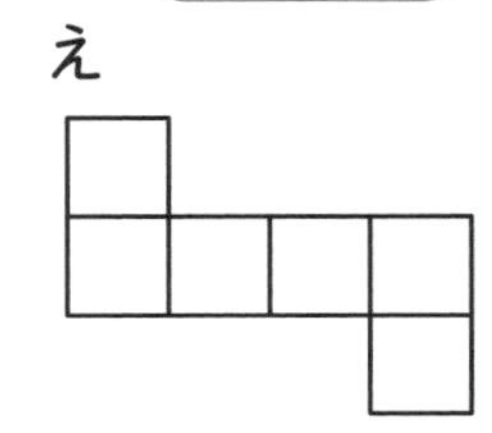

66ページの解答

187日目	188日目	189日目
え→あ→う くわしくは127ページ	え	え→い→あ→う

このページの解答は 71ページ

1つだけなか間ではないのは、どれかな？

あ 

い 

う 

え 

197 日目

一番たくさんのんだどうぶつは、だれかな？

※のみものはぜんぶ同じりょうが入っていたよ。

198 日目

時計をじゅん番にならべたとき、?に入るのは、どれかな？

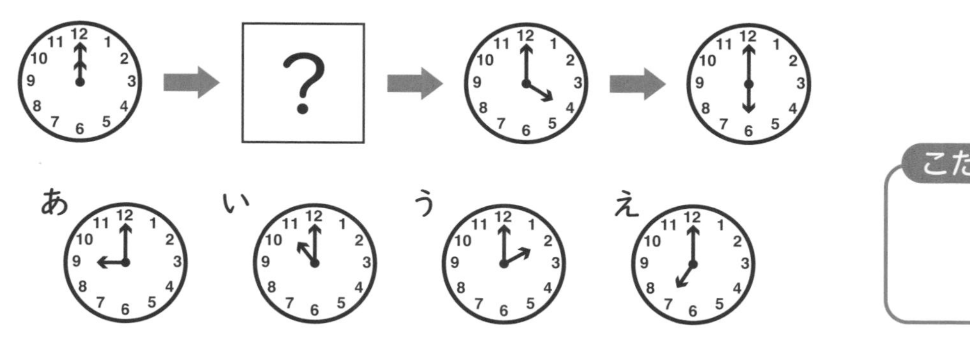

こたえ

67ページの解答

190 日目

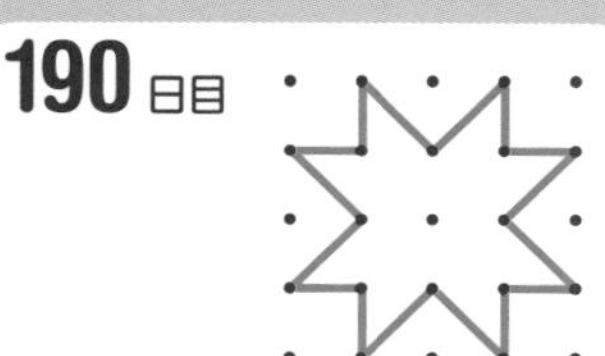

191 日目

①ーい　②ーえ

192 日目

い

このページの解答は 72ページ

199日目

どれとどれを組み合わせたら「見本」の形ができるかな？

こたえ
と

見本

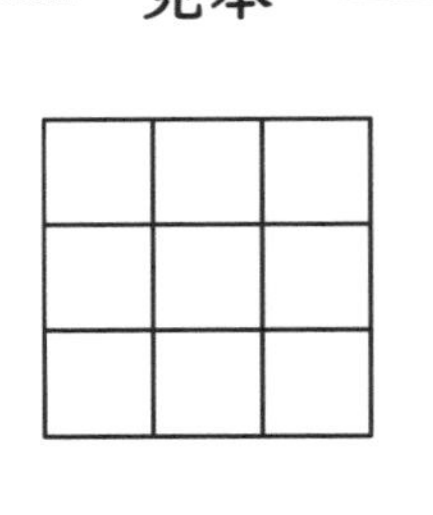

あ

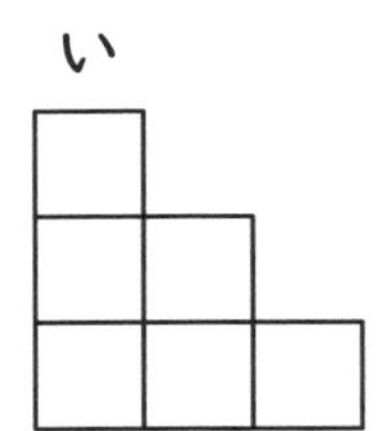

い

う

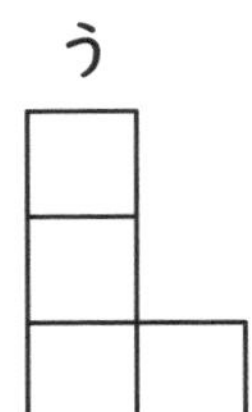

え

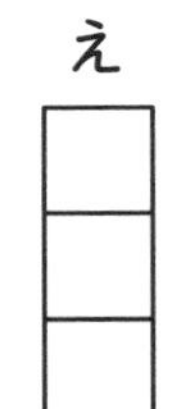

200日目

つみ木は何こふえたかな？

こたえ

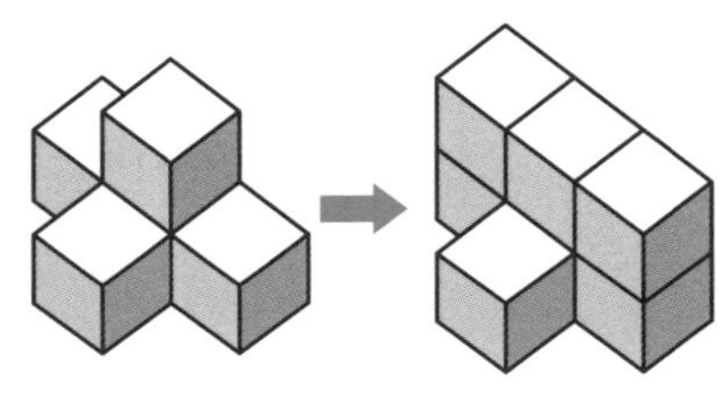

あ

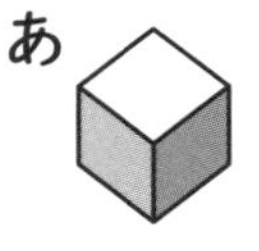

い

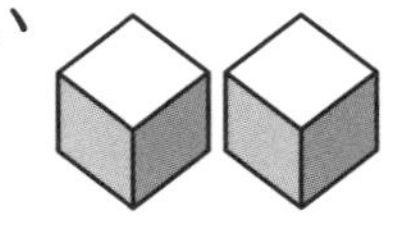

う

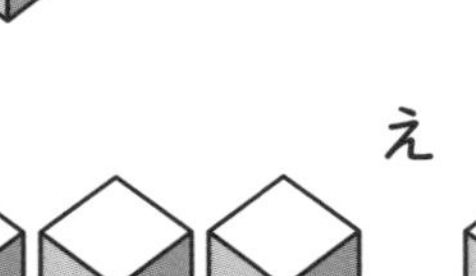

え

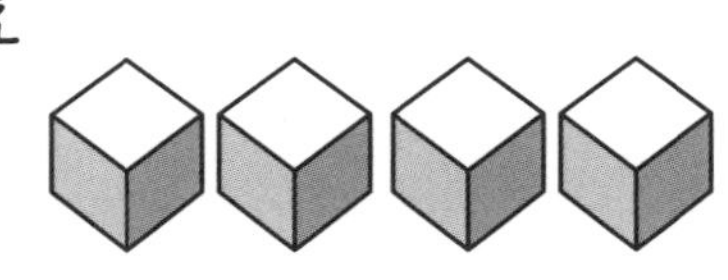

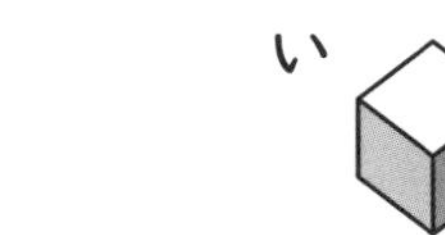

201日目

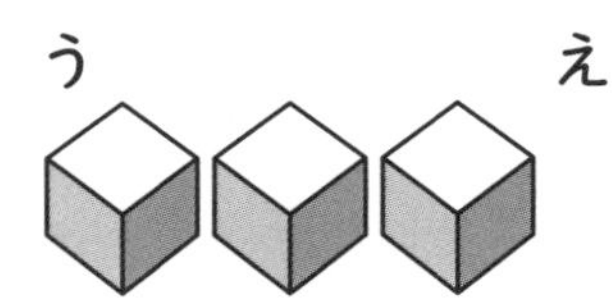

一番みじかいきょりで家に行くには、分かれ道でどちらにまがればいいかな？

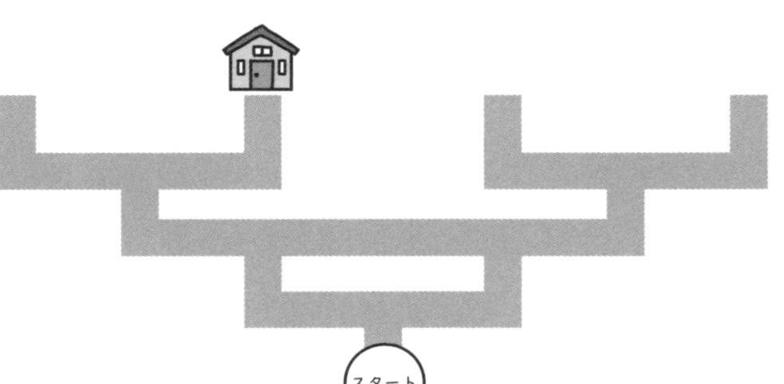

あ　右・右・左

い　左・右・左

う　左・左・右

え　左・左・左

こたえ

68ページの解答

193日目	194日目	195日目
え	え	う

このページの解答は 73ページ

202 日目

ちょうちょになるように、右がわに線を書いてね。

203 日目

「スタート」の木と同じ木だけをぜんぶとおって、「ゴール」まで行ってね。※同じ道を2回とおることはできないよ。

204 日目

「見本」のつみ木をま上から見ると、どう見えるかな？

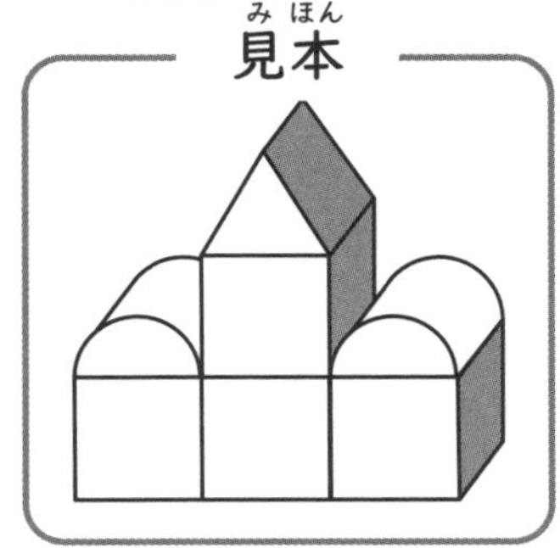

あ

い

う

え

こたえ

69 ページの解答

196日目	197日目	198日目
あ くわしくは127ページ	い	う

このページの解答は 74ページ

205日目

三角形を3つだけうごかして「見本」の形を作るとき、うごかすのは、どれかな？

見本

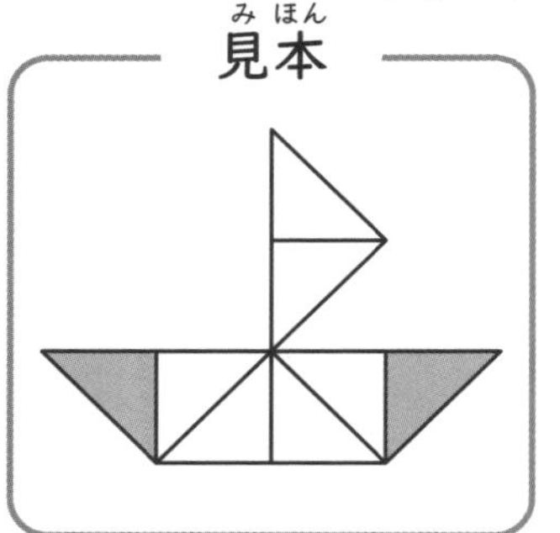

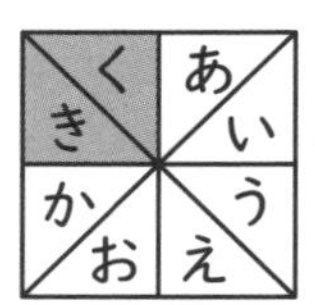

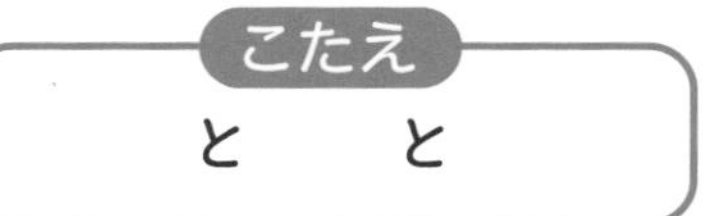

206日目

ひつじだけをかこむように、●を一番みじかい線でむすんでね。

207日目

「見本」のグローブといっしょにつかうものは、どれかな？

こたえ

見本

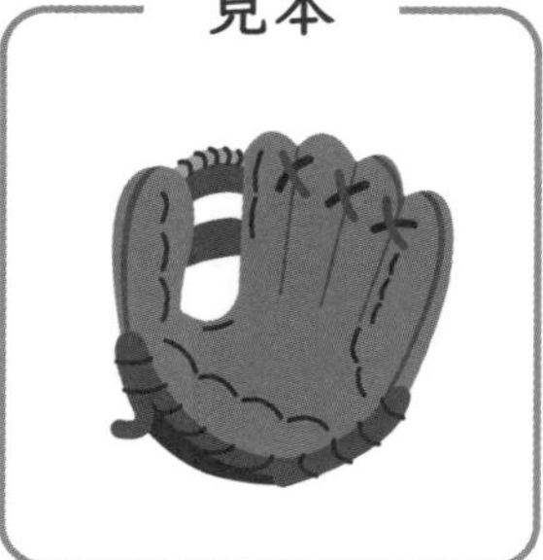

あ い う え

70ページの解答

199日目	200日目	201日目
あとう くわしくは127ページ	い	う

このページの解答は 75ページ

208 日目

「たてもの」の3かいの左から2番目にいるどうぶつは、だれかな？

こたえ

209 日目

おり紙を4つにおって、——を切りぬいてひらくと、どれになるかな？

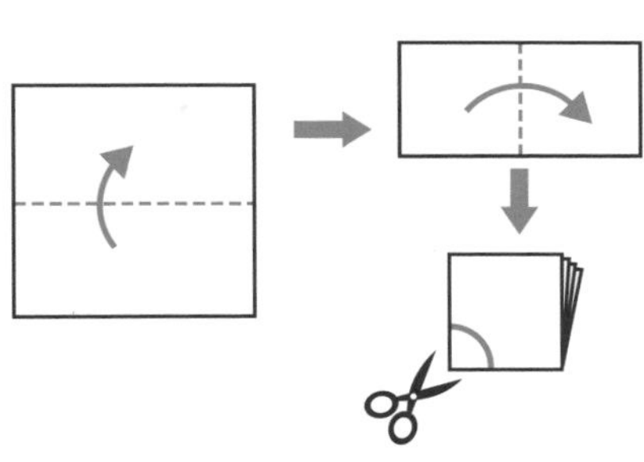

あ
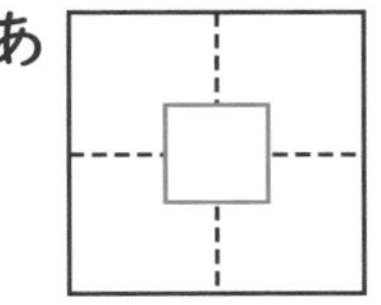

い
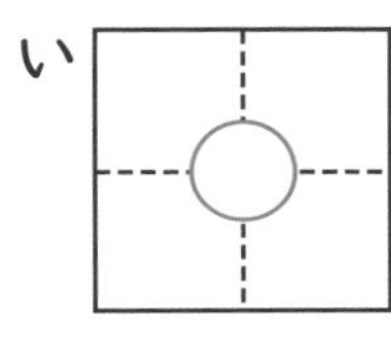

う
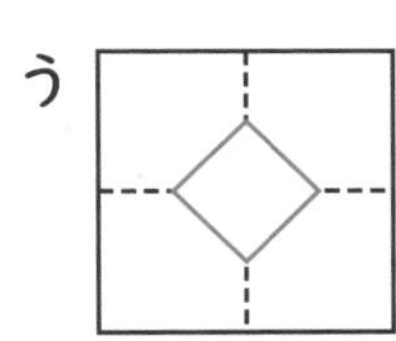

え
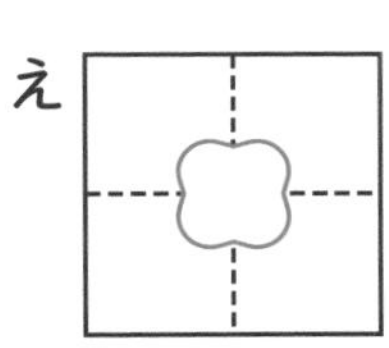

210 日目

せんべいをひとり2まいずつ分けるとき、足りないのは何まいかな？

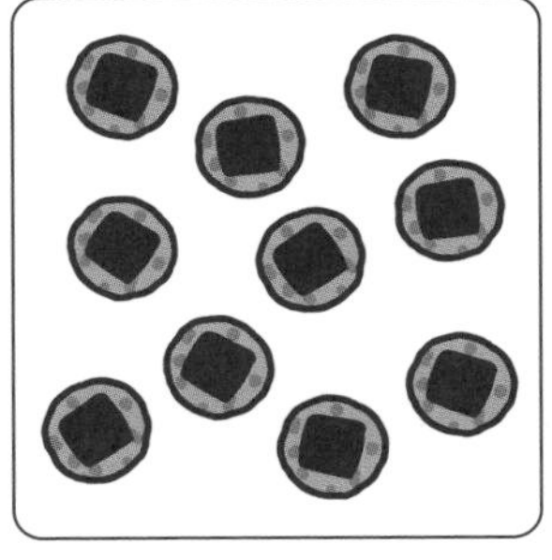

あ
い
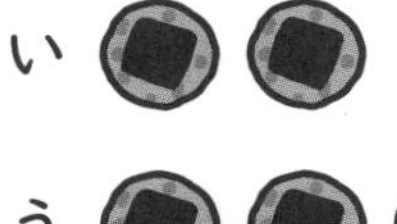

う
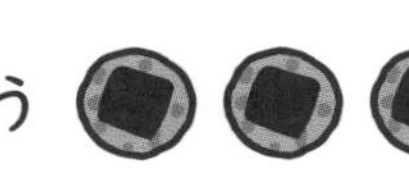

え
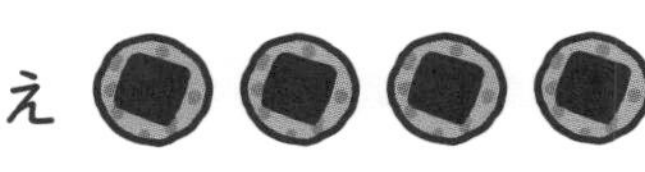

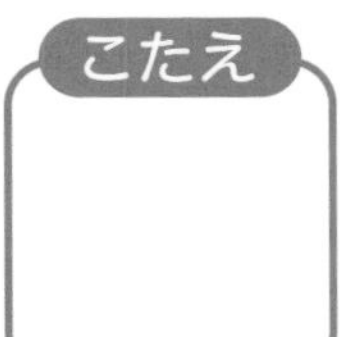

71ページの解答

202 日目

203 日目
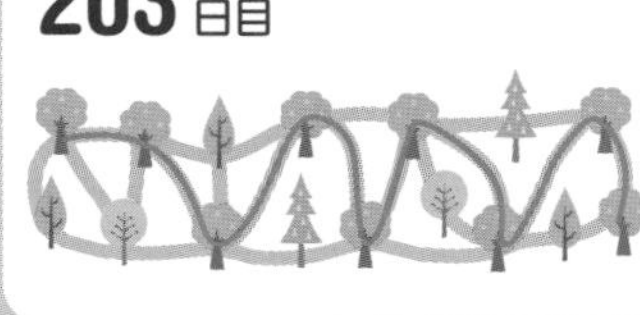

204 日目
う

このページの解答は 76ページ

ハンバーガーで下から３つ目にあるのは、どれかな？
※パンも数えるよ。

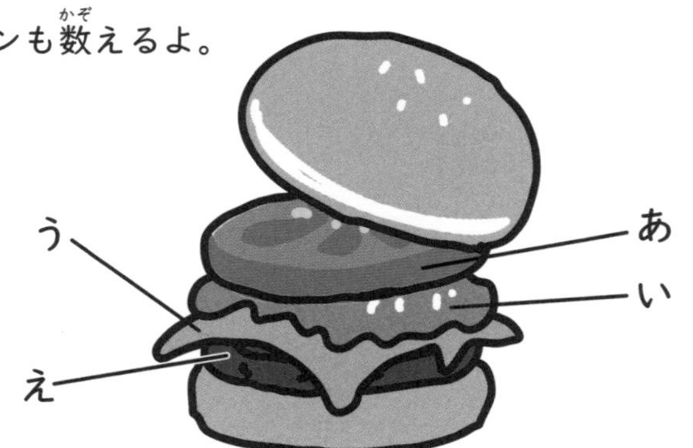

212
日目

絵が書いてあるとう明な紙をそのままかさねると、どんなふうに見えるかな？

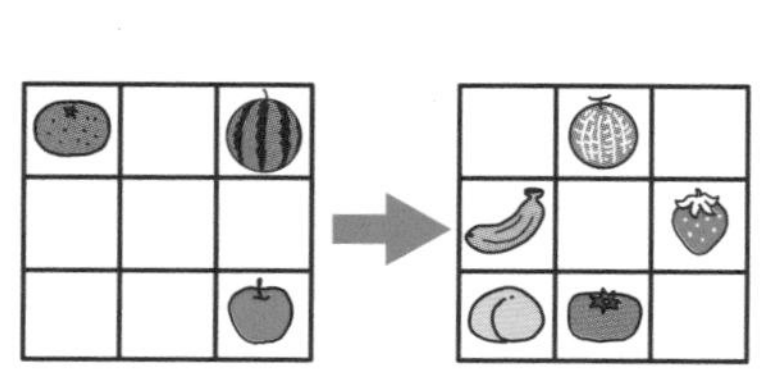

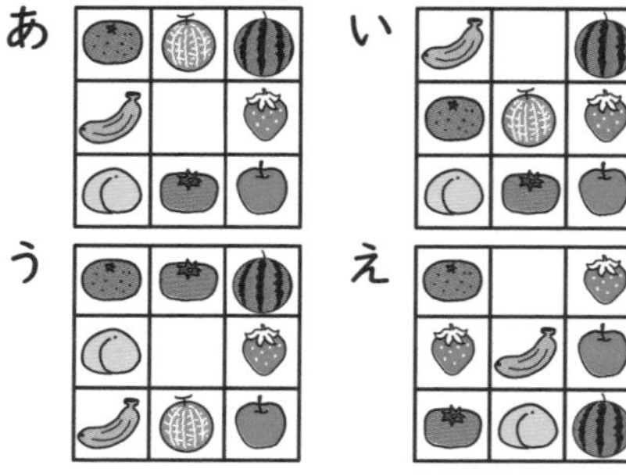

213
日目

木の高さが高いじゅんにならべてね。

こたえ
→　→　→

72ページの解答

205日目
いときとく

206日目

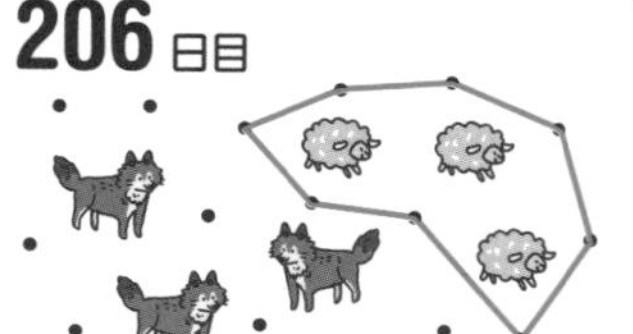

207日目
え

「見本」と同じものは、どれかな？

見本

あ

い

う

え

215
日目

「見本」と同じになるように、色をぬってね。

見本

216
日目

じゅん番にならべたとき、3番目になるのは、どれかな？

あ　い　う　え

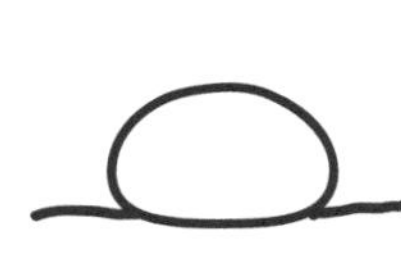

73ページの解答

208日目	209日目	210日目
い	い	い

このページの解答は 78ページ

217日目

なくなったのは、どれかな？

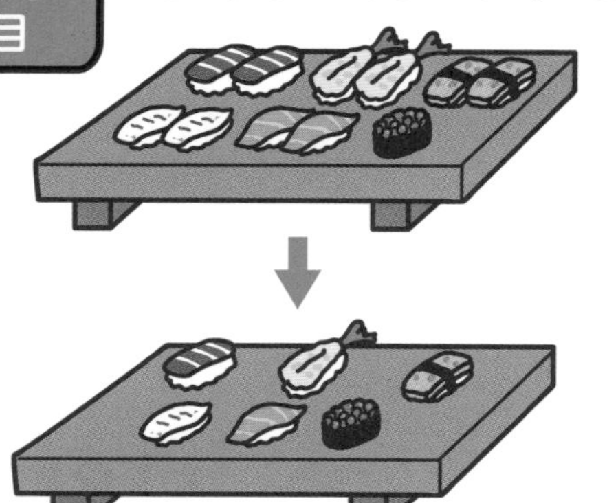

あ 

い 

う 

え 

218日目

右(みぎ)の絵(え)と左(ひだり)の絵(え)には、ちがうところが4つあるよ。どこかな？　右(みぎ)の絵(え)に○をつけてね。

219日目

おにぎりを、男(おとこ)の子(こ)が3つ、女(おんな)の子(こ)が1つ食(た)べたよ。のこっているのは、いくつかな？

あ 

い 

う 

え 

74ページの解答

211日目	212日目	213日目
う	あ	あ→え→い→う

このページの解答は 79ページ

220日目

犬(いぬ)はぜんぶで何(なん)びきいるかな？

あ 

い 

う 

え 

こたえ

221日目

1つだけなか間(ま)ではないのは、だれかな？

あ　い　う　え　お

こたえ

222日目

たてのれつ、よこのれつ、それぞれに  が1つずつ入(はい)るよ。○と△に入(はい)るのは、だれとだれかな？

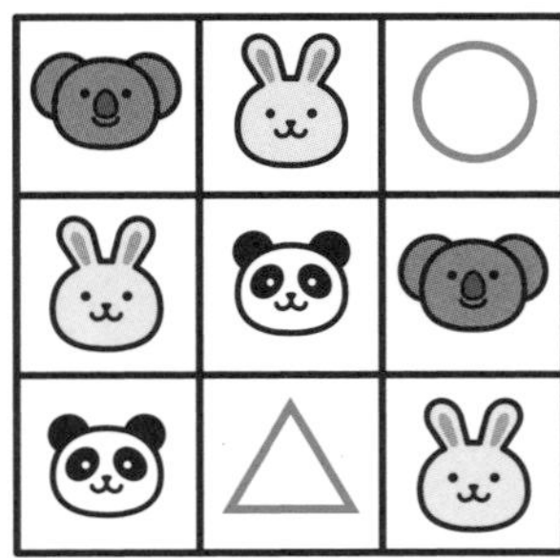

あ ○＝　△＝

い ○＝　△＝

う ○＝　△＝

え ○＝　△＝

こたえ

75ページの解答

214日目 う

215日目

216日目 う

このページの解答は 80ページ

「見本」の形を作るとき、つかわないつみ木は、どれかな？

見本

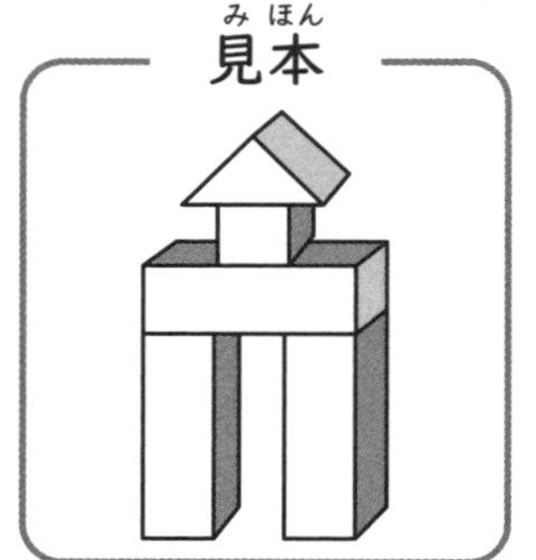

あ 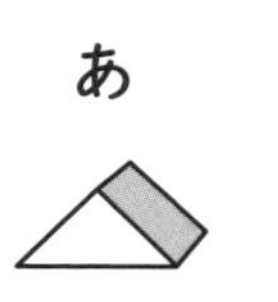

い 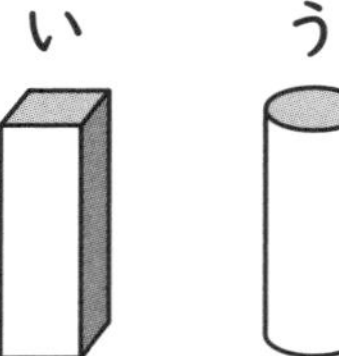

う 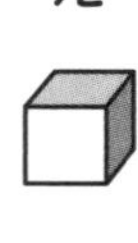

え

224 日目

●からはじめて、ひとふでで書いてね。

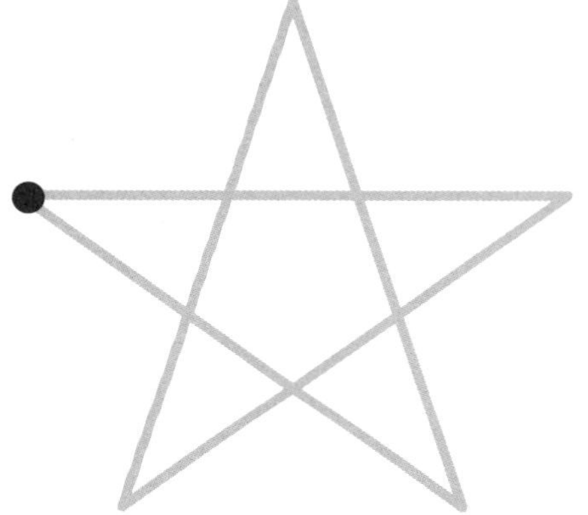

225 日目

半分に切ったものはどれかな？ ●を線でむすんでね。

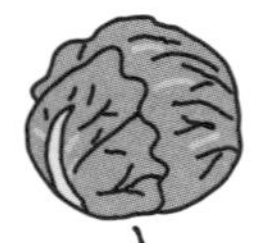 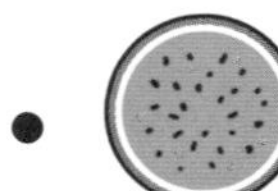

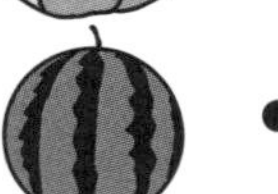 

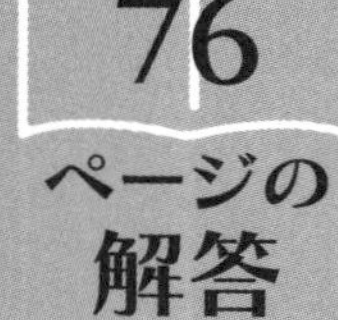

217日目

い

218日目

219日目

え

このページの解答は 81 ページ

おかしがあるところをぜんぶとおって、ゴールまで行ってね。※同じ道を２回とおることはできないよ。

スタート

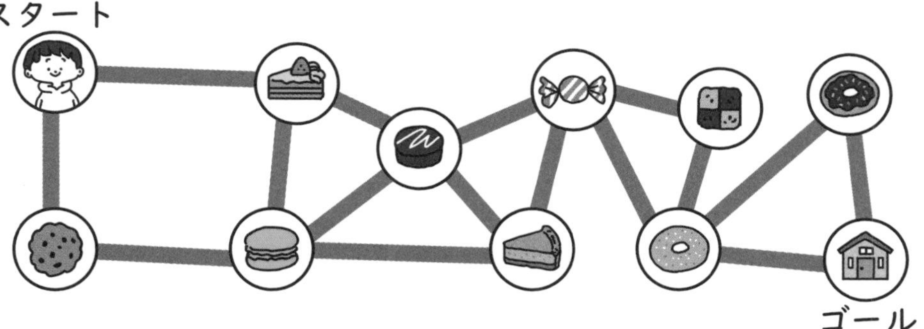

ゴール

227 日目

魚の数を同じにするには、左の池にあと何びきふやせばいいかな？

こたえ

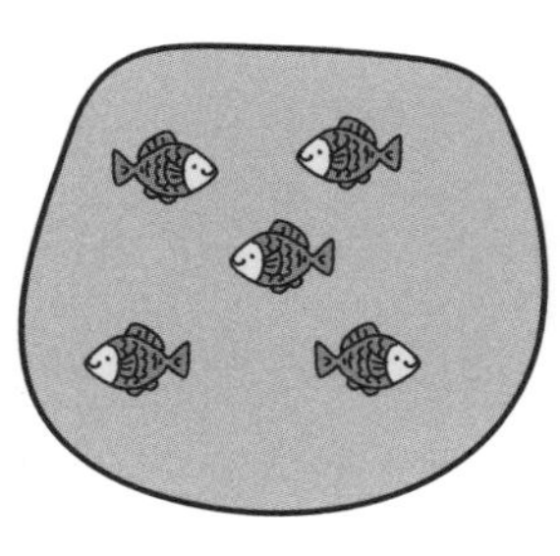

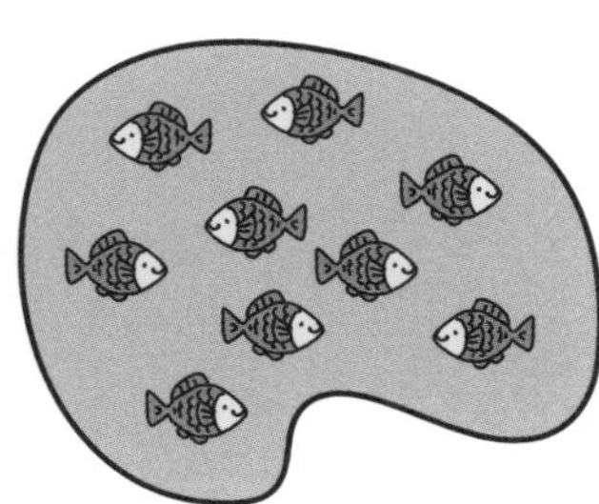

あ

い

う

え

228 日目

数が一番多いのは、どれかな？

あ　い

う　え

こたえ

77 ページの解答

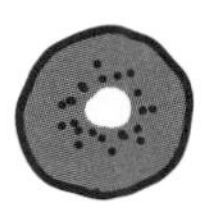

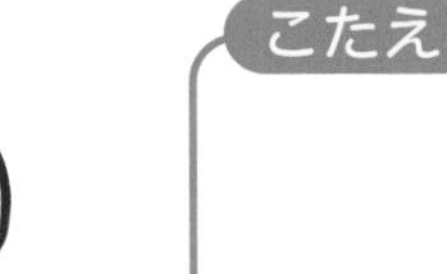

220 日目	221 日目	222 日目
う	お	え

このページの解答は 82 ページ

229 日目

かげ絵(え)はどの生(い)きものに見(み)えるかな？ ●を線(せん)でむすんでね。

230 日目

カードを矢(や)じるしの方(ほう)こうにカタンカタンと回(まわ)していくと、?に入(はい)るのは、どれかな？

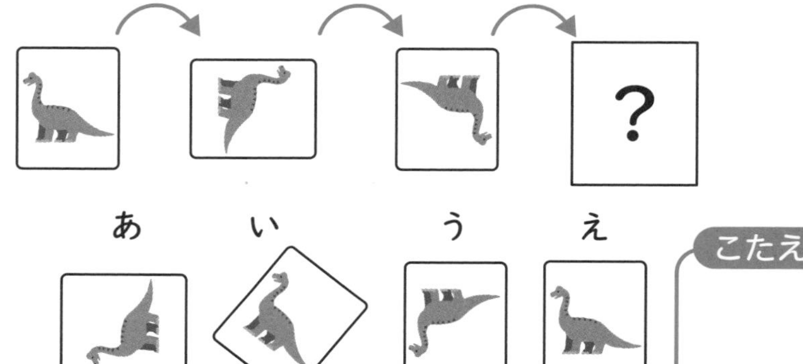

231 日目

●を線(せん)でむすんで、「見本(みほん)」と同(おな)じ形(かたち)を書(か)いてね。

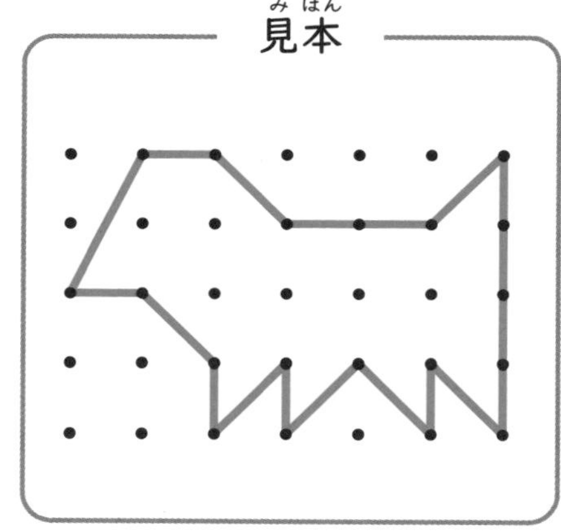

78 ページの解答

223 日目

う

224 日目

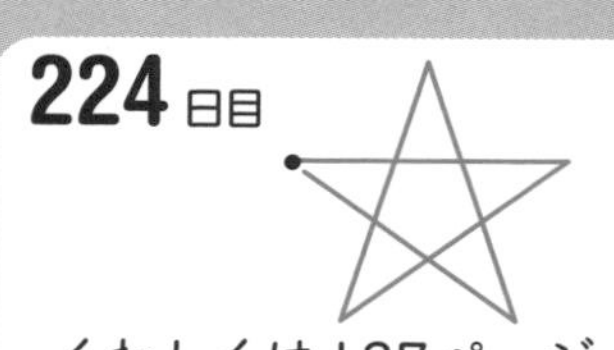

くわしくは127ページ

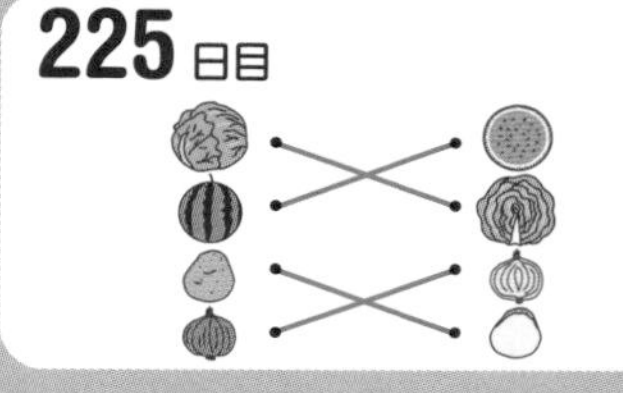

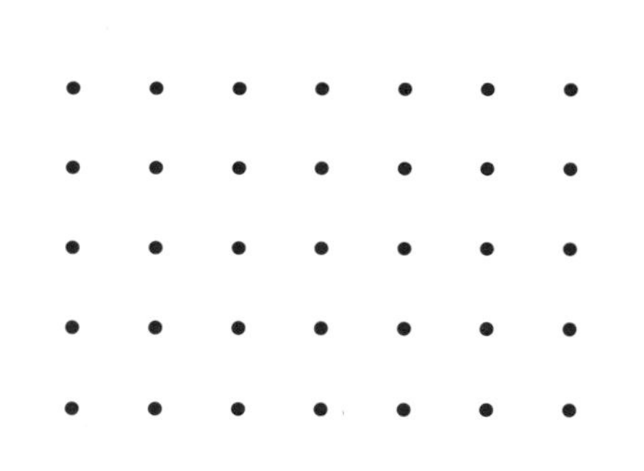

225 日目

このページの解答は 83ページ

232日目

かんけいのふかいものを、線(せん)でむすんでね。

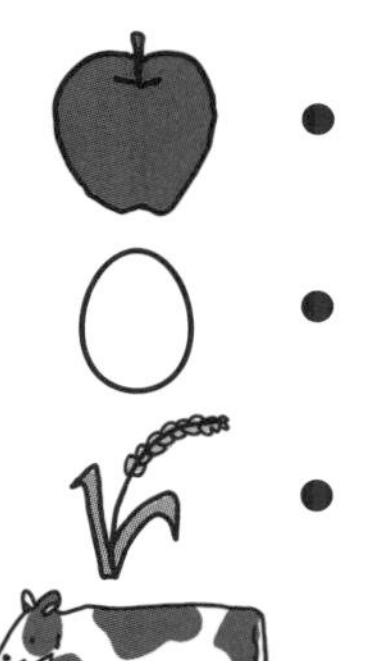

233日目

ねずみの２つ後(うし)ろにいる生(い)きものは、だれかな？

あ 

い 

う 

え 

234日目

おり紙(がみ)をたて半分(はんぶん)におって切(き)りぬくとき、切(き)りぬいたものが「見本(みほん)」の形(かたち)になるのは、どれかな？

あ 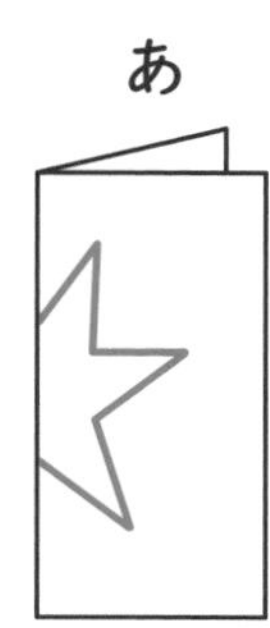

い 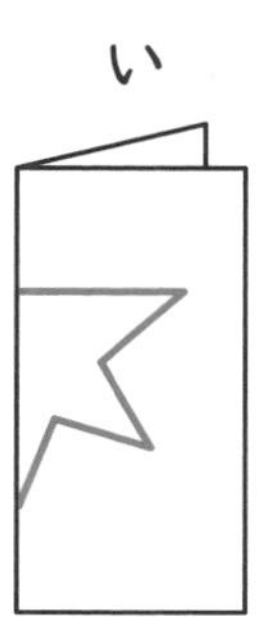

う 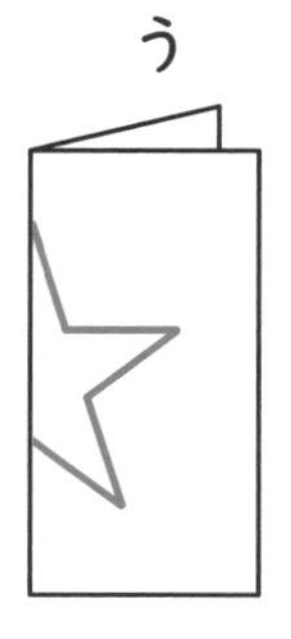

え 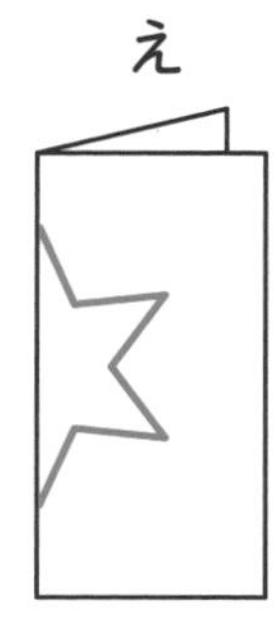

79ページの解答

226日目

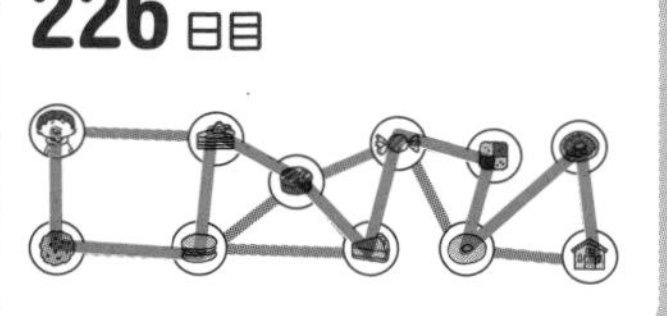

227日目

あ

228日目

い

このページの解答は 84ページ

235日目

上(うえ)から3つ目(め)にあるのは、どれかな？

①

②

あ 

い  

う 

え 

お 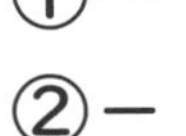

こたえ

①ー

②ー

236日目

「見本(みほん)」のように形(かたち)をかさねたとき、一番下(いちばんした)にあるのは、どれかな？

見本(みほん)

あ 

い 

う 

え 

こたえ

237日目

ぼうしの高(たか)さが一番高(いちばんたか)いのは、だれかな？

こたえ

80ページの解答

229日目

230日目

あ

231日目

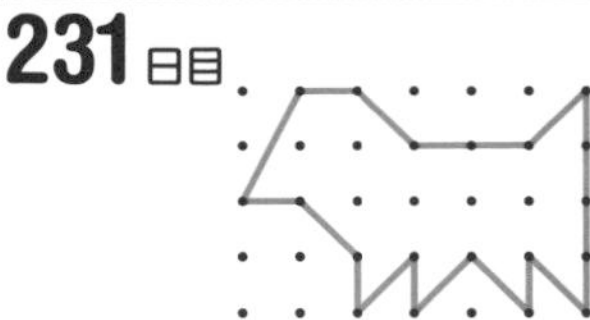

このページの解答は 85 ページ

黒く(くろ)ぬった2まいのとう明(めい)な紙(かみ)をそのままかさねると、どんなふうに見(み)えるかな？

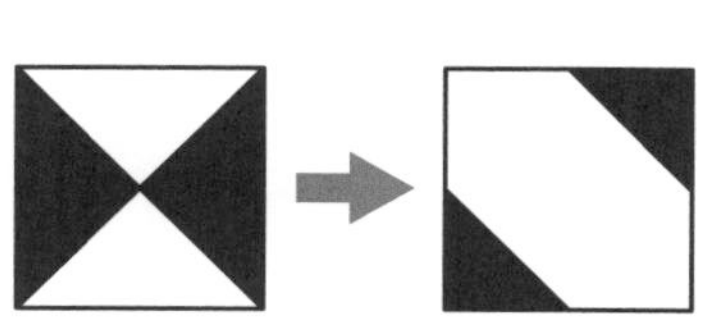

あ 

う 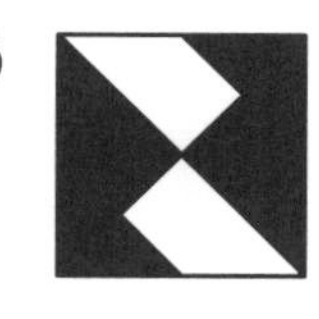

い 

え 

239 日目

点線(てんせん)をなぞってね。

240 日目

かがみの前(まえ)に、食(た)べ物(もの)があるよ。かがみには、どんなふうにうつっているかな？

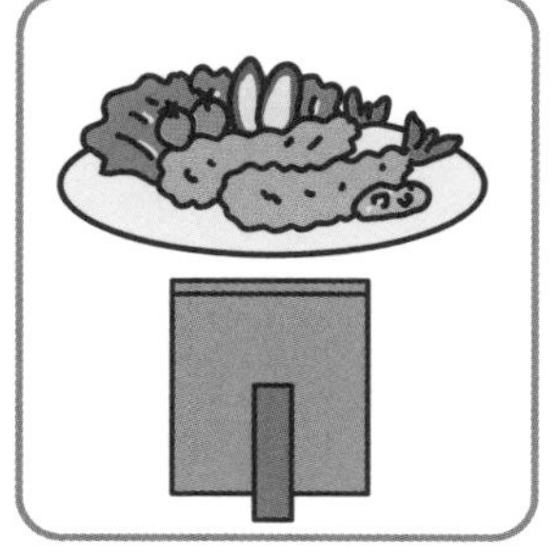

あ 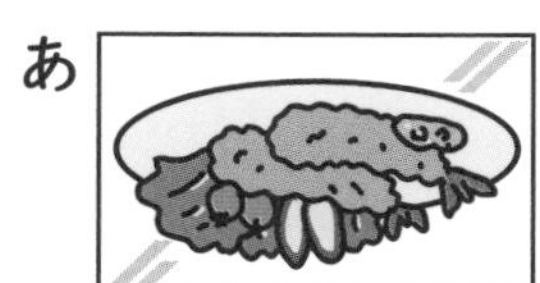

い 

う 

え 

81 ページの解答

232 日目

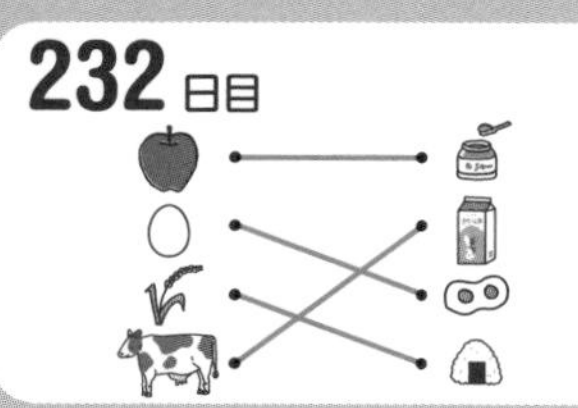

233 日目

う

234 日目

う

このページの解答は 86ページ

「見本(みほん)」の形(かたち)を４つ組(く)み合(あ)わせてできるのは、どれかな？

見本(みほん)

あ 

い 

う 

え 

こたえ

242日目

おふろに入(はい)るときにつかわないものは、どれとどれかな？

あ 

い 

う 

え 

お 

か 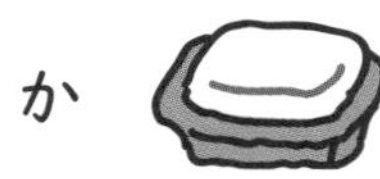

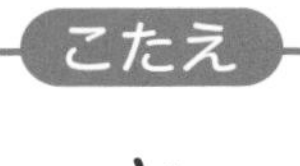

こたえ　と

243日目

ねずみとかえるがとび石(いし)をわたるよ。２ひきが同時(どうじ)に出(しゅつ)ぱつしたとき、出会(であ)うのはどの石(いし)の上(うえ)かな？

※ねずみもかえるも１回(かい)に１つのとび石(いし)をわたるよ。

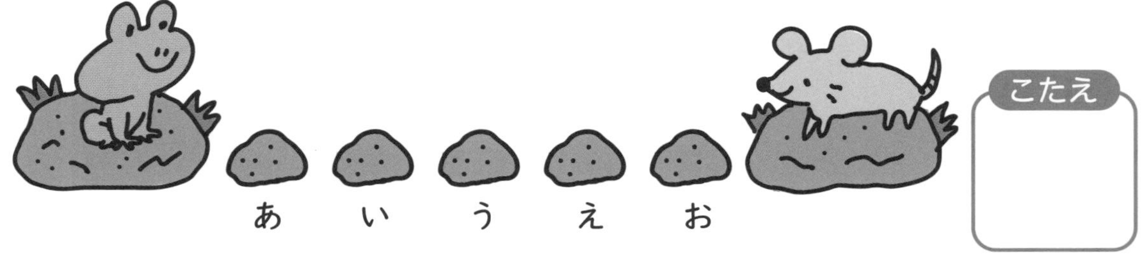

こたえ

82ページの解答

235日目	236日目	237日目
①ーあ　②ーお	う	あ

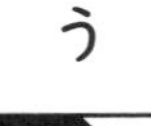

ビスケットはぜんぶで何まいあるかな？

あ 4まい

い 6まい

う 5まい

え 7まい

245 日目

「見本」と同じになるように、色をぬってね。

見本

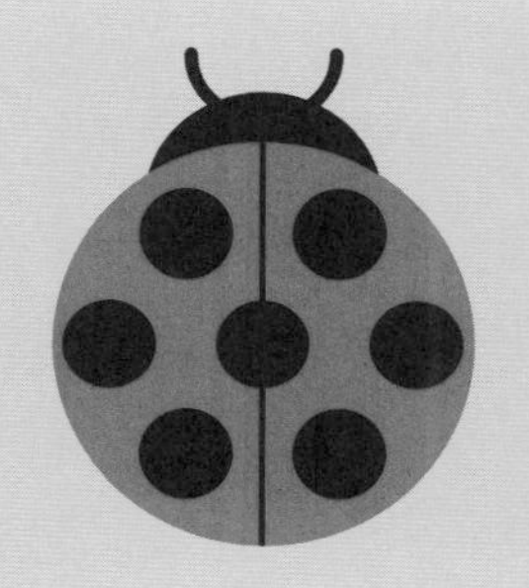

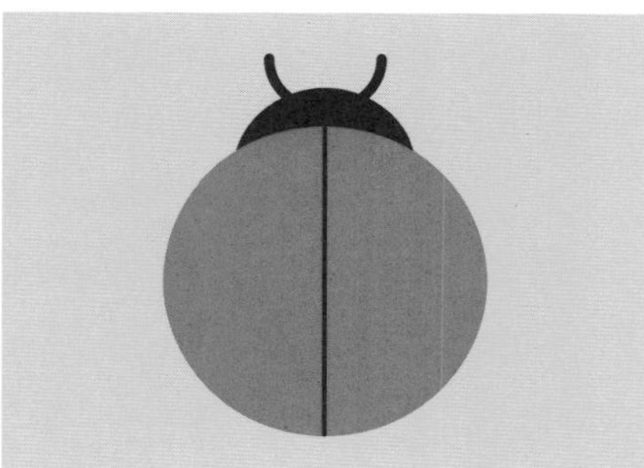

246 日目

てんかい図を組み立てたとき、「見本」の立体になるのはどれかな？

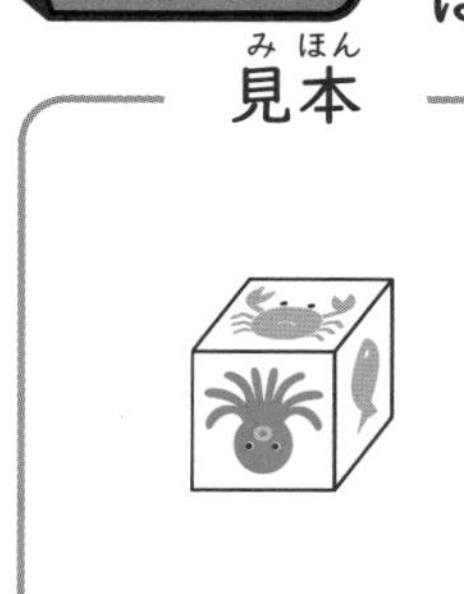

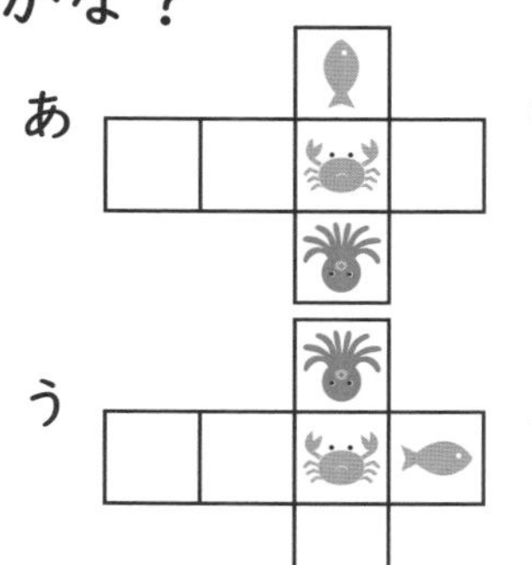

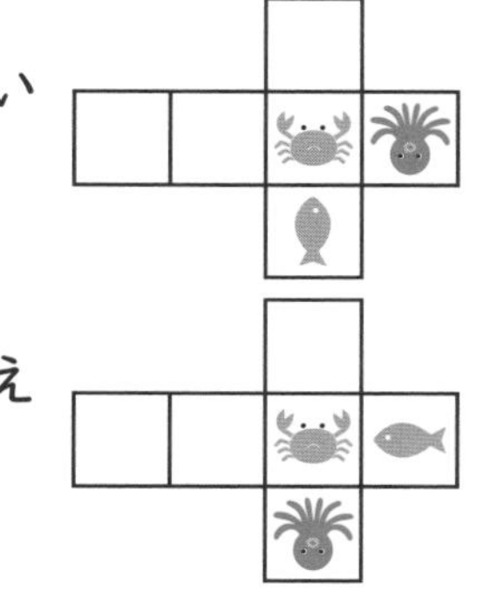

83 ページの解答

238 日目
う

239 日目

240 日目
い

このページの解答は 88ページ

247日目

１つだけなか間ではないのは、どれかな？

あ

い

う

え

こたえ

248日目

「見本」のようにならべるよ。 をおくところに○、 をおくところに△、 をおくところに□、 をおくところに◎を書いてね。

見本

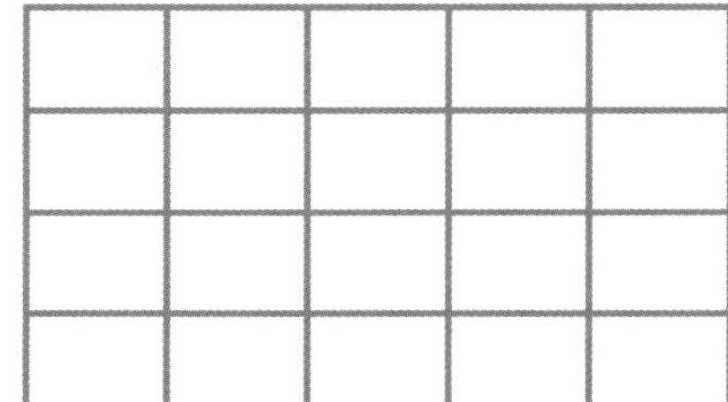

249日目

お話になるように、じゅん番にならべてね。

こたえ

→ → →

あ

い

う

え

84ページの解答

241日目	242日目	243日目
う	あとお	う

このページの解答は 89ページ

250日目

りすがどんぐりを2つずつ口(くち)に入(い)れるとき、何(なん)びきのりすが口(くち)に入(い)れられるかな？

こたえ

あ 

い 

う 

え 

251日目

くまの2つとなりのどうぶつは、だれとだれかな？

あ 

い 

う

え

こたえ

252日目

かえるの顔(かお)になるように、右(みぎ)がわに書(か)いてね。

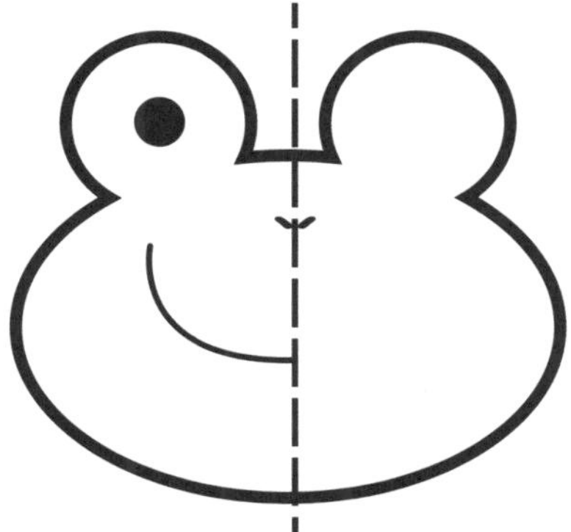

85ページの解答

244日目

い

245日目

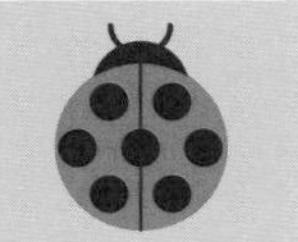

246日目

え

くわしくは127ページ

253日目

「見本(みほん)」のように「おりすじ」をつけるには、何回(なんかい)おればいいかな？

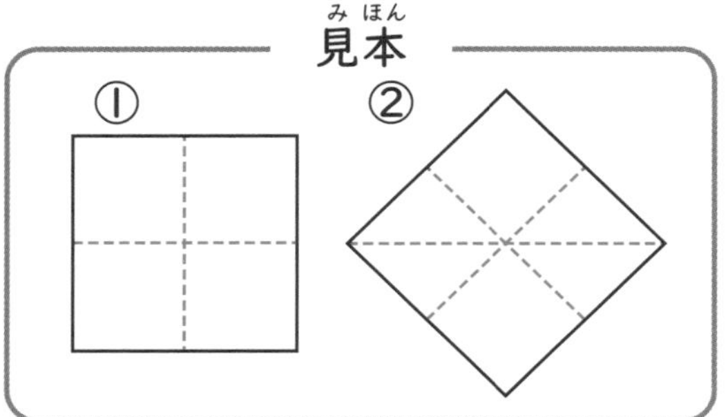

あ　2回(かい)

い　3回(かい)

う　4回(かい)

え　5回(かい)

こたえ

①ー

②ー

254日目

4つあるのは、どれかな？

あ 

い 

う 

え 

お 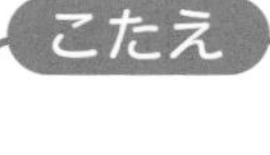

こたえ

255日目

数(かず)が少(すく)ないじゅんにならべてね。

あ 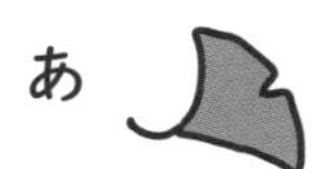

い 

う 

え 

86ページの解答

247日目

あ

くわしくは127ページ

248日目

		◎		
		○		
△	□			

249日目

え→い→う→あ

このページの解答は 91 ページ

256 日目

●を線でむすんで、「見本」と同じ形を書いてね。

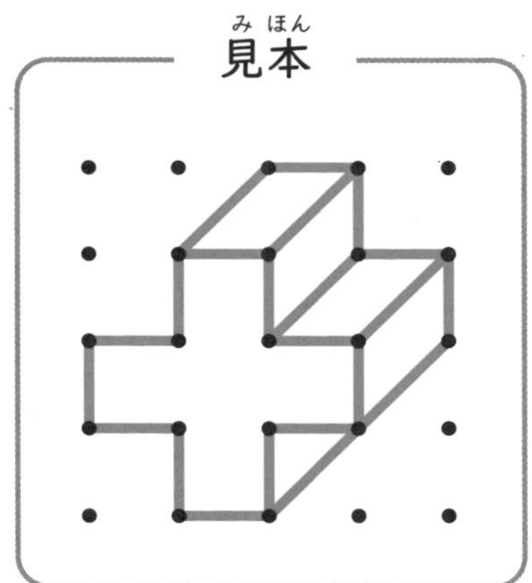

257 日目

きつねとひつじのいるところをとおってから、しかのいるところへ行ってね。※同じ道を2回とおることはできないよ。

スタート

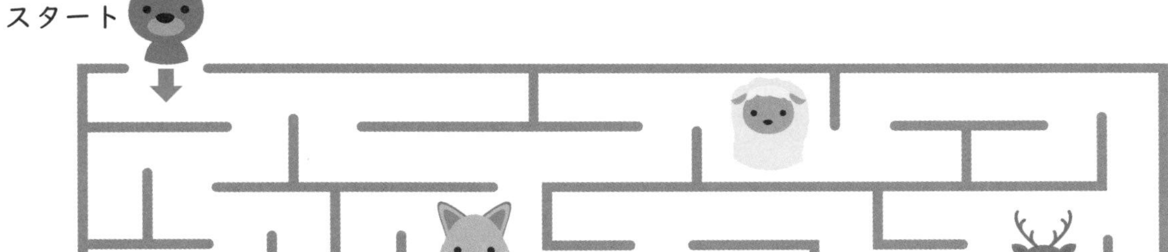

258 日目

水の中にすんでいないものに、×をつけてね。

87 ページの解答

250 日目
う

251 日目
え

252 日目

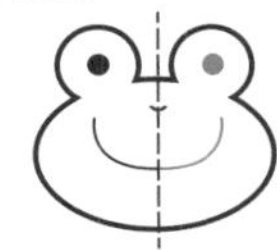

このページの解答は 92ページ

「見本(みほん)」を矢(や)じるしの方(ほう)こうにカタンカタンと3回回(かいまわ)していくと、?のところに入(はい)るのは、どれかな？

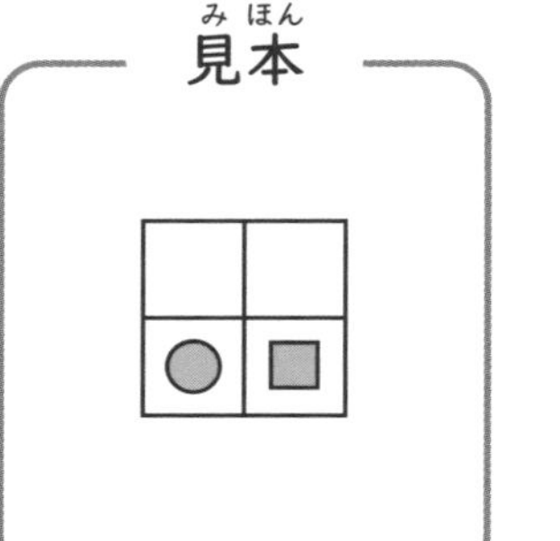

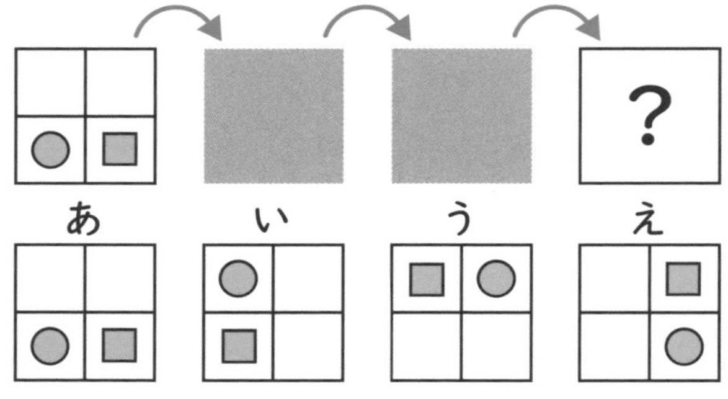

あ　い　う　え

こたえ

「見本(みほん)」のようにおり紙(がみ)をおって、——を切(き)ってひらくと、どれになるかな？

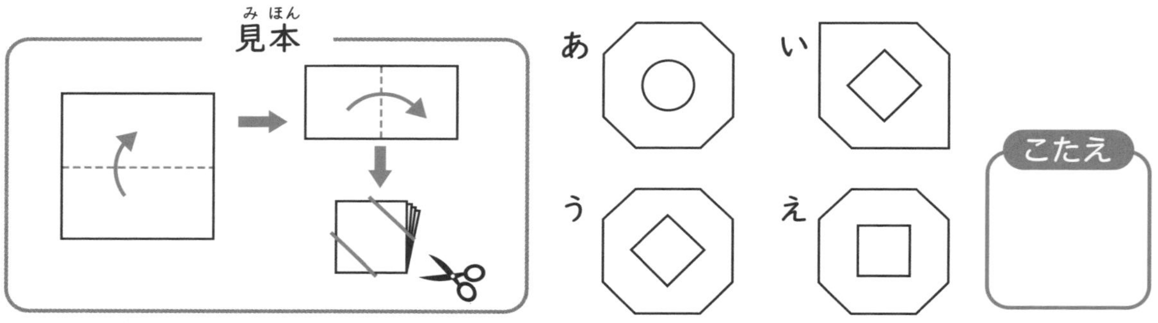

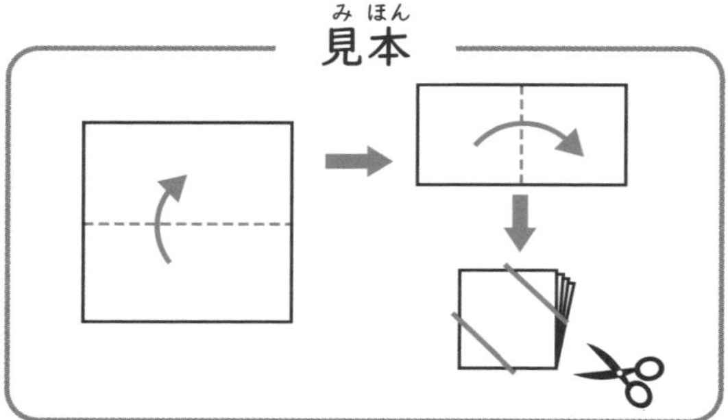

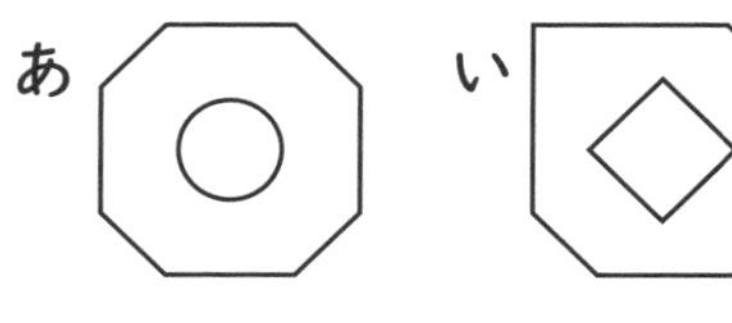

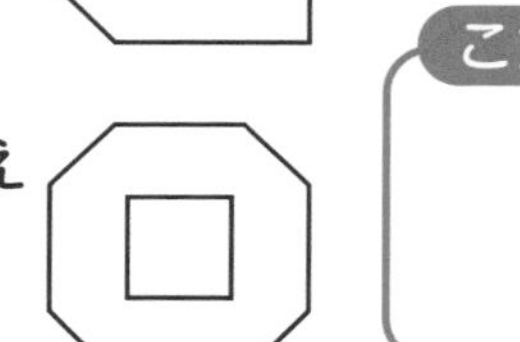

あ　い　う　え

こたえ

261日目

あ、い、うと同(おな)じ数(かず)のものを線(せん)でむすんだとき、あまるのはどれかな？

あ　い　う

①　②　③　④

88ページの解答

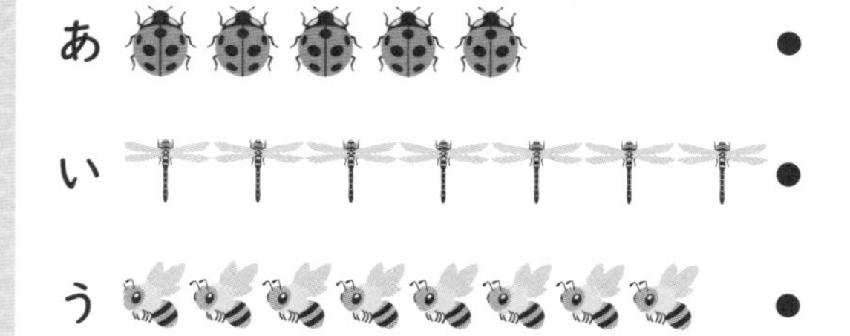

253日目	254日目	255日目
①ーあ　②ーい	え	い→え→う→あ

262日目

色がついているところが一番せまいのは、どれかな？

こたえ

あ

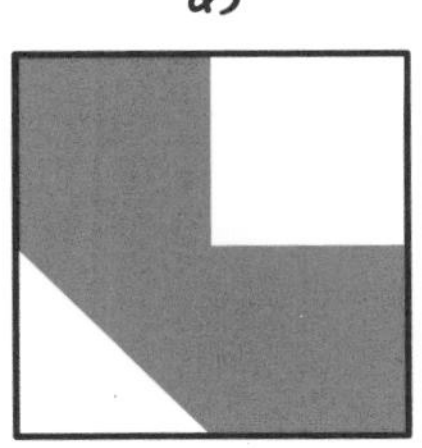

い

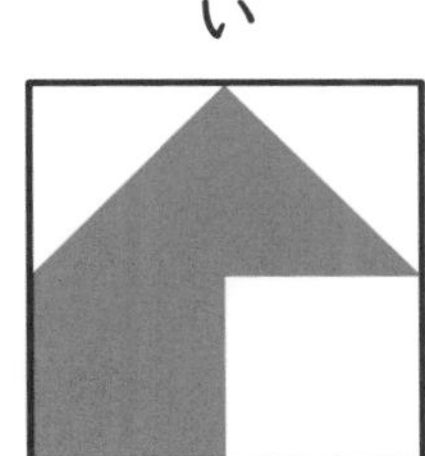

う

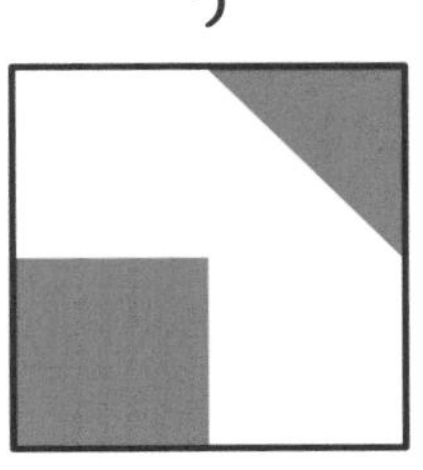

え

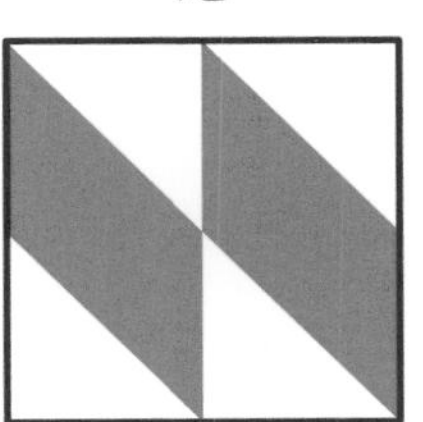

263日目

家から出ぱつして、分かれ道を右、右、左のじゅん番でまがるよ。出会うどうぶつは、だれかな？

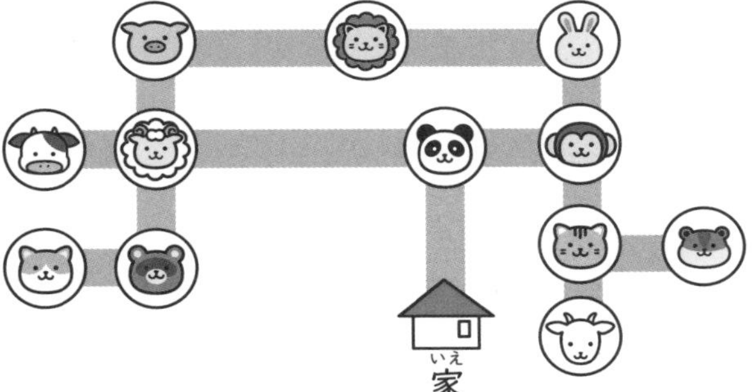

あ

い

う

え

こたえ

264日目

「ふしぎならっぱ」を１回ふくと、♪が２つ出るよ。３回ふいたら、♪はいくつ出てくるかな？

あ ♪♪♪♪♪♪

い ♪♪♪♪

う ♪♪♪

え ♪♪♪♪♪

89ページの解答

256日目

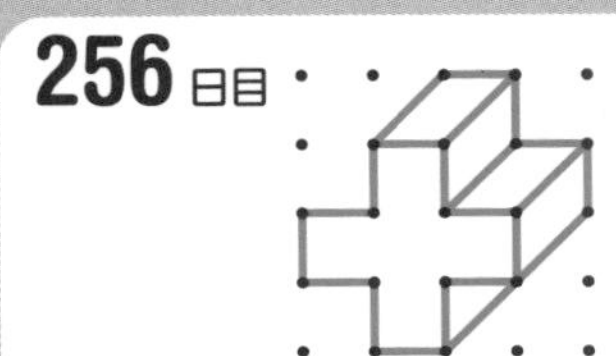

257日目

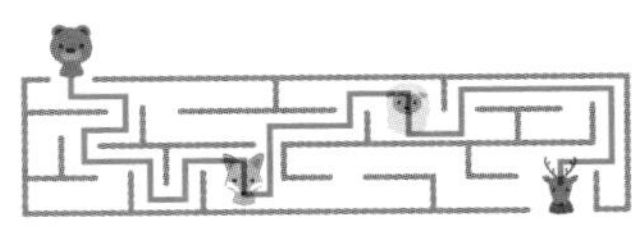

258日目

このページの解答は 94ページ

265日目

1つだけ数がちがうのは、どれかな？

あ

い

う

え

266日目

8まいの紙しばいを、男の子が3まい、女の子が4まい読んだよ。のこりは、何まいかな？

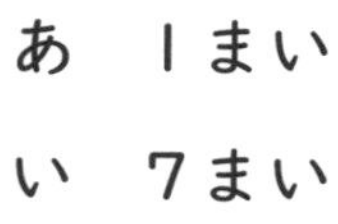

あ　1まい
い　7まい
う　3まい
え　4まい

こたえ

267日目

サンドイッチにはさんであるのは、どれかな？　●を線でむすんでね。

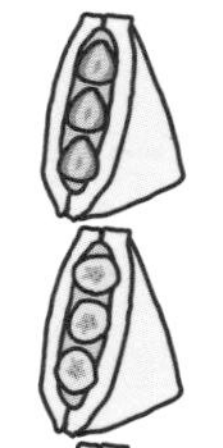

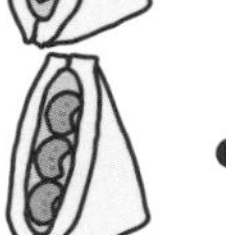

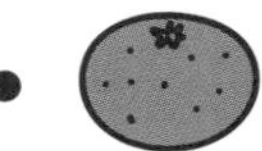

90ページの解答

259日目	260日目	261日目
え	う	④

このページの解答は 95ページ

268 日目

「見本」と同じ組み合わせは、どれかな？

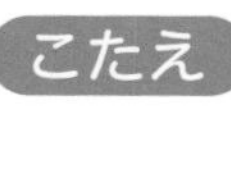

見本

あ

い

う

え

269 日目

ペンギンはぜんぶで何羽いるかな？

あ　8羽

い　6羽

う　5羽

え　7羽

こたえ

270 日目

へびの体が長いじゅんにならべてね。

あ

い

う

え

91ページの解答

262日目	263日目	264日目
う	え	あ

このページの解答は 96ページ

271日目

「見本」のつみ木を矢じるしの方こうから見たら、どう見えるかな？

見本

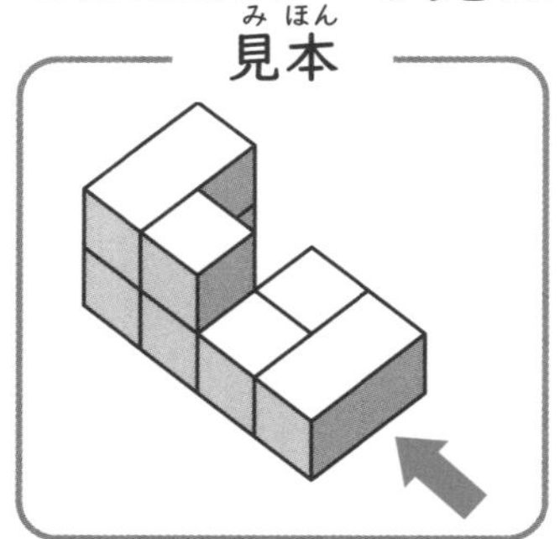

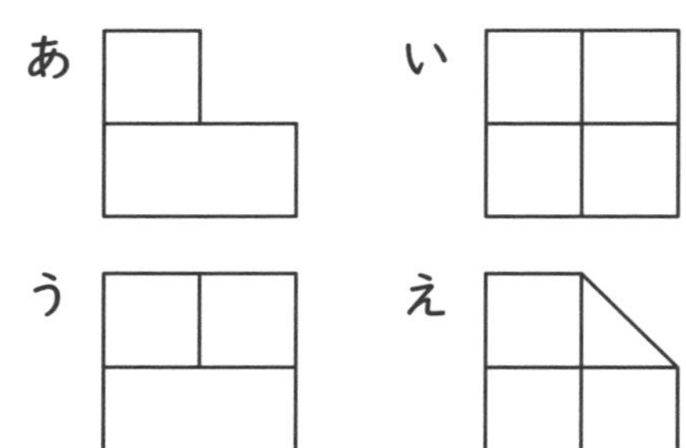

272日目

1つだけちがうのは、どれかな？

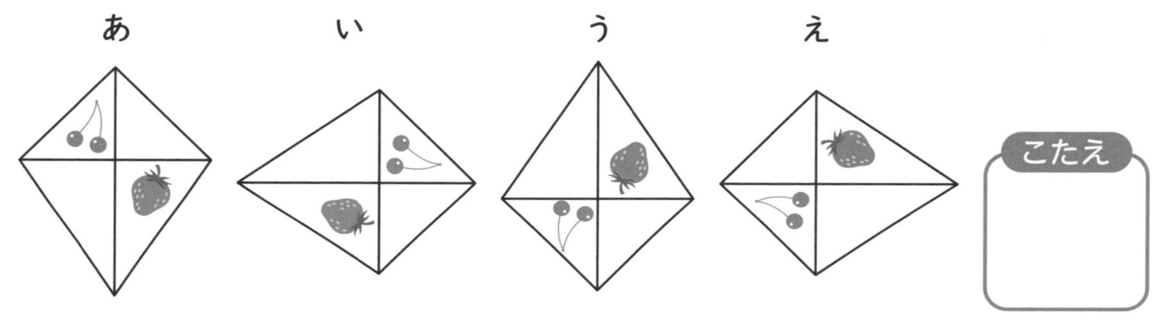

273日目

どの生きものの足あとかな？ ●を線でむすんでね。

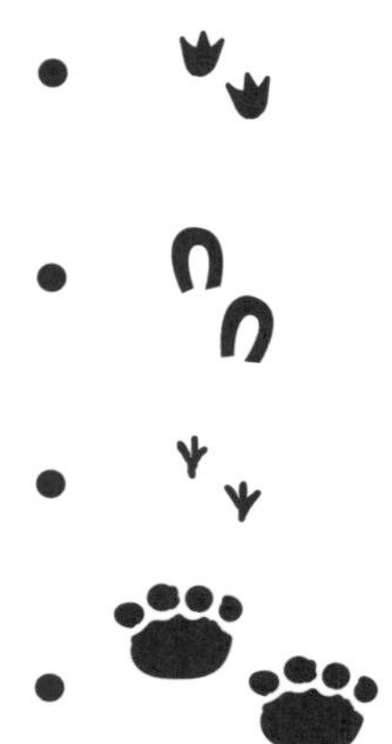

92ページの解答

265日目 う

266日目 あ

267日目

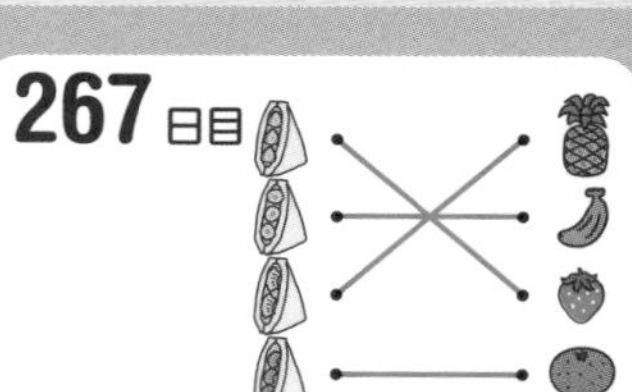

このページの解答は 97ページ

274日目

じゃんけんをして、グーで3つ、チョキで6つ、パーで5つすすめるよ。1回のじゃんけんで二人が●で出会うには、何を出せばいいかな？　※じゃんけんのかち・まけはかんけいないよ。

あ　男の子がグー　女の子がパー
い　男の子がパー　女の子がチョキ
う　男の子がチョキ　女の子がグー
え　男の子がグー　女の子がチョキ

こたえ

275日目

ハロウィーンのかぼちゃが左半分だけぬってあるよ。右半分も同じように、色をぬってね。

276日目

シーソーで3つのくだもののおもさくらべをしたよ。一番かるいのは、どれかな？

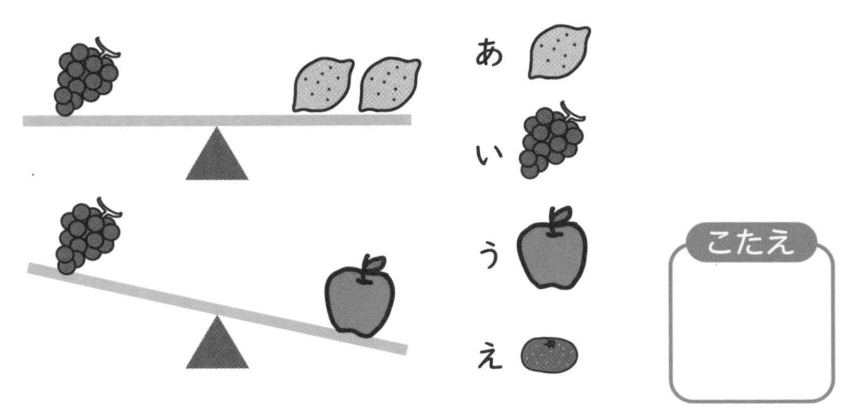

こたえ

93ページの解答

268日目	269日目	270日目
う	あ	い→あ→え→う

このページの解答は 98 ページ

○はいくつかさなっているかな？

あ　6つ
い　7つ
う　8つ
え　9つ

こたえ

278 日目

つみ木の数がちがうのは、どれかな？

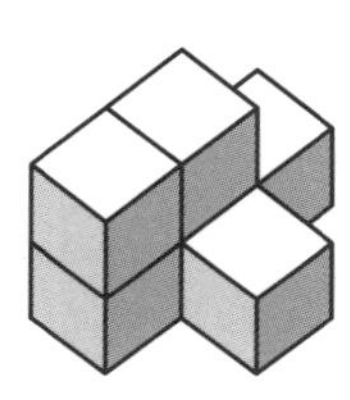

あ

い

う

え

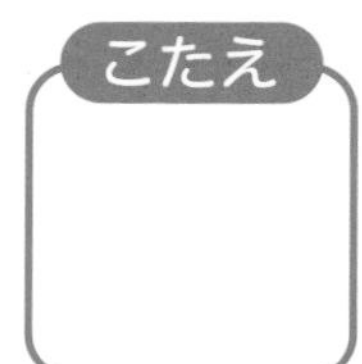

こたえ

279 日目

右の絵と左の絵には、ちがうところが4つあるよ。どこかな？　右の絵に○をつけてね。

94 ページの解答

271日目

う

272日目

う

273日目

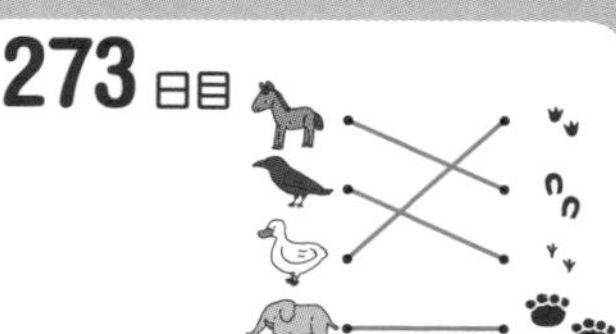

このページの解答は 99ページ

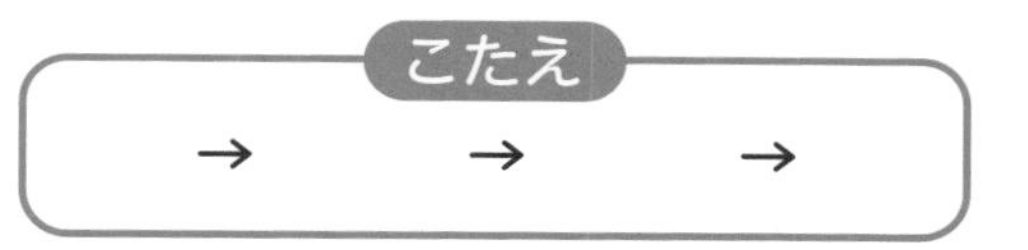

280 日目

じゅん番にならべてね。

こたえ
→　→　→

あ　い　う　え

281 日目

●を線でむすんで、「見本」と同じ形を書いてね。

見本

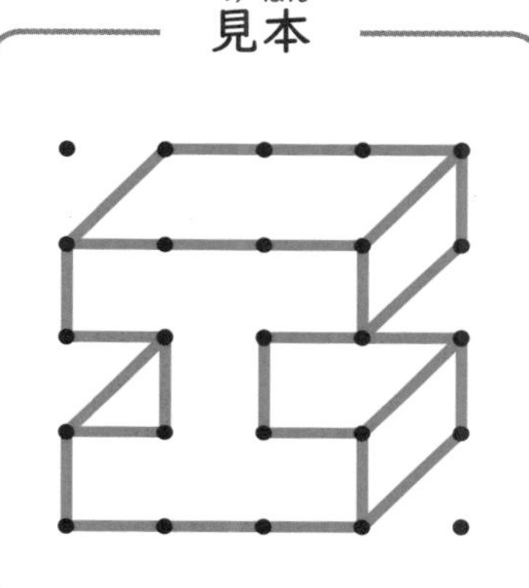

282 日目

あ、い、う、３つのひもにつながっているのは、どれかな？

こたえ
あー
いー
うー

95ページの解答

274 日目
え

275 日目

276 日目
あ

このページの解答は 100ページ

283日目

かんけいのふかいものを、線(せん)でむすんでね。

284日目

手紙(てがみ)がとどいたよ。どのどうぶつのところへ行(い)けばいいかな？

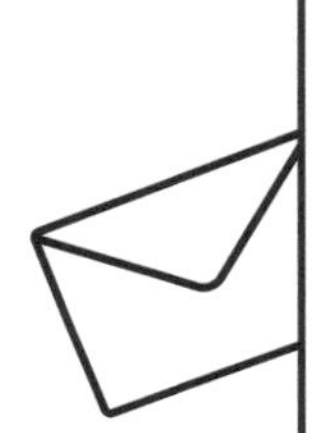

3かいの、右(みぎ)から
2番目(ばんめ)のへやにあ
そびに来(き)てね。

たてもの

こたえ

285日目

「見本(みほん)」のようにおり紙(がみ)をおって、——を切(き)ってひらくと、どれになるかな？

見本(みほん)

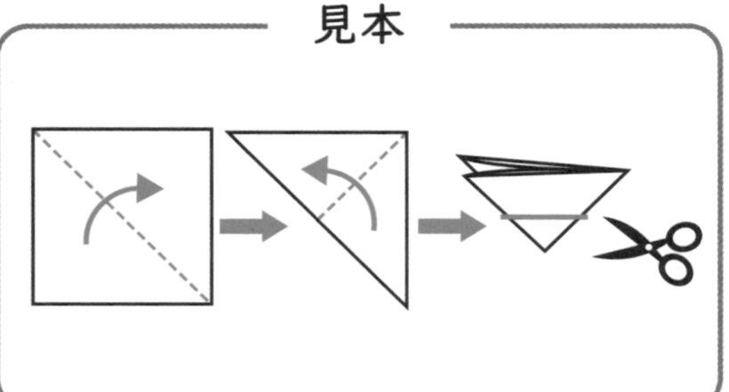

あ
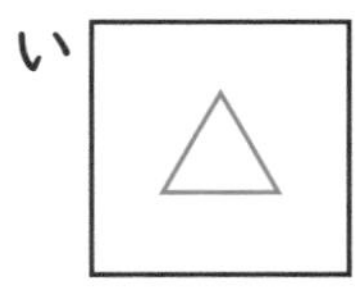
い
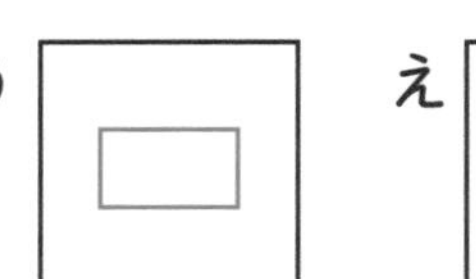
う
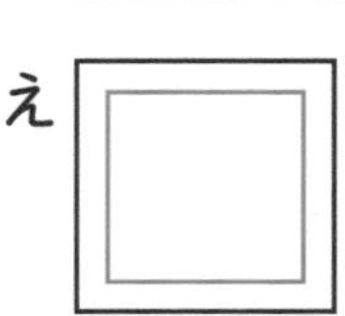
え

こたえ

96ページの解答

277日目 う

278日目 い

279日目

「見本」と同じふくそうにするには、どれをえらべばいいかな？

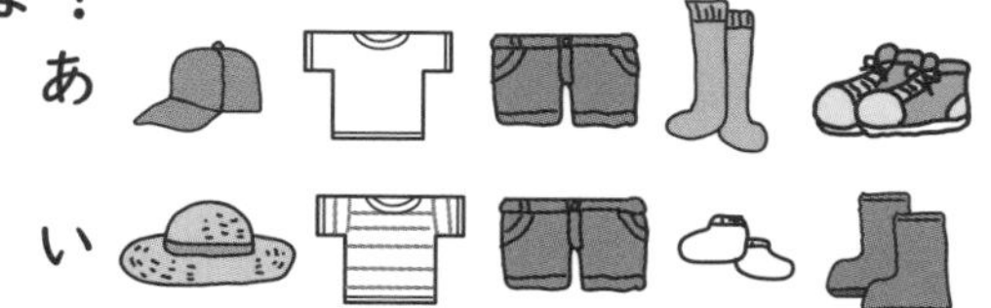

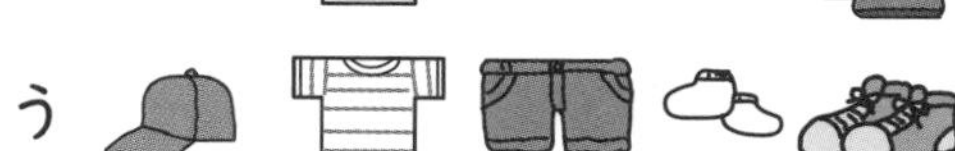

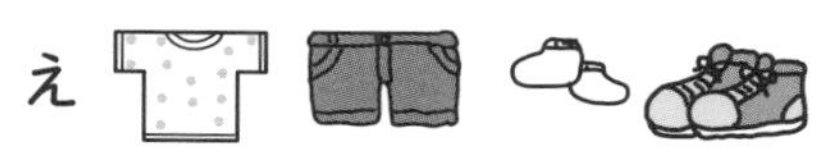

287日目

「見本」を矢じるしの方こうにカタンカタンと3回回していくと、？のところに入るのは、どれかな？

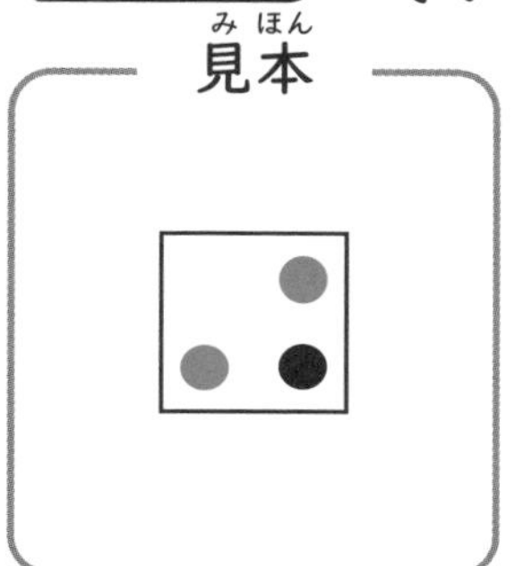

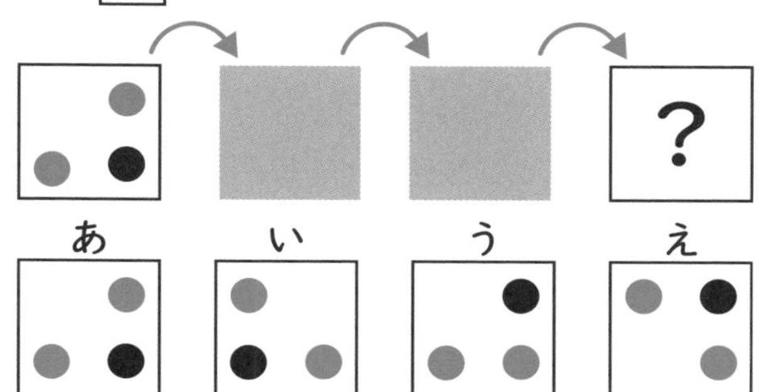

288日目

本のあつさが一番あついのは、どれかな？

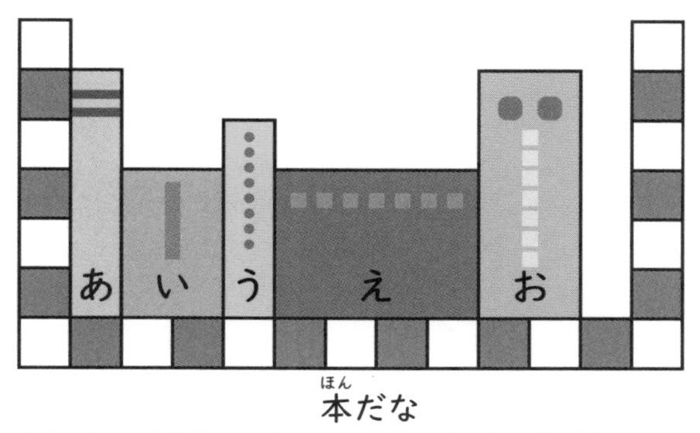

本だな

97ページの解答

280日目

い→え→う→あ

281日目

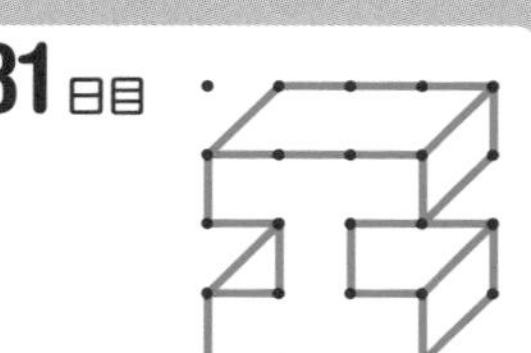

282日目 あ－① い－③ う－②

このページの解答は 102 ページ

289日目

「見本（みほん）」のようにおってできるのは、どれかな？

見本

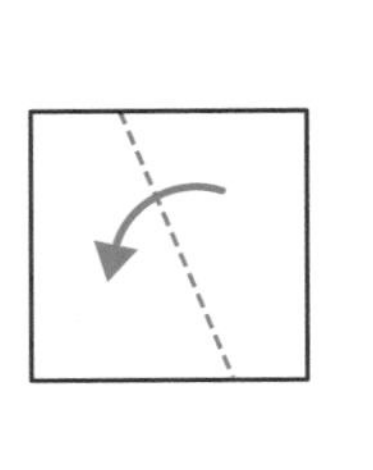

あ 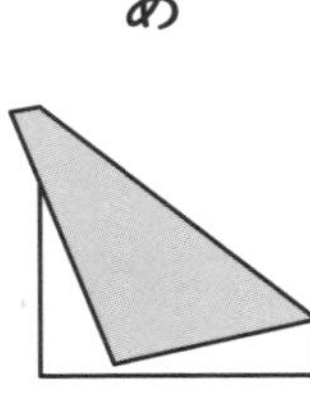

い 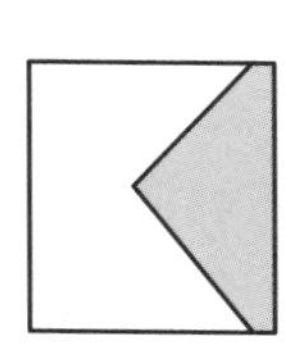

う 

え 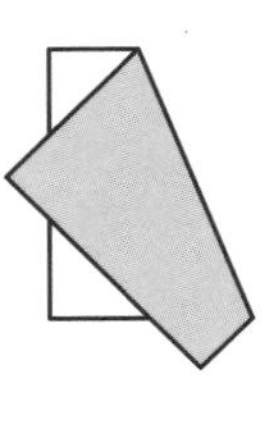

290日目

かんけいのふかいものを、線（せん）でむすんでね。

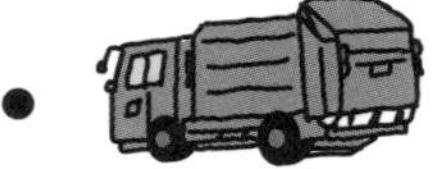

291日目

「見本（みほん）」の右（みぎ）のつみ木（き）と左（ひだり）のつみ木（き）は、数（かず）がいくつちがうかな？

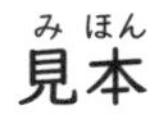
見本

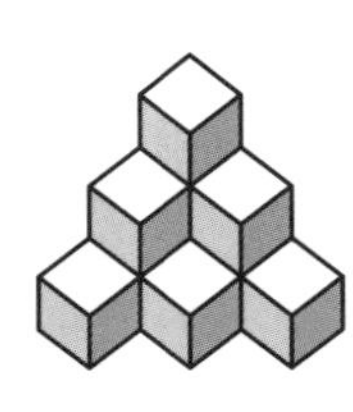
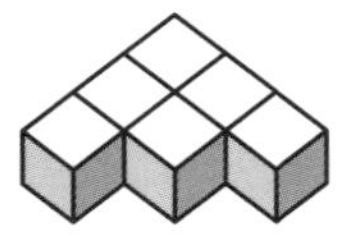

あ 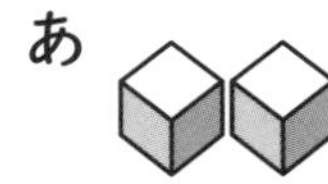

い 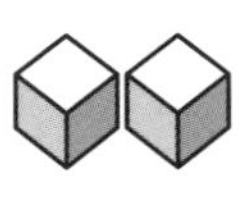
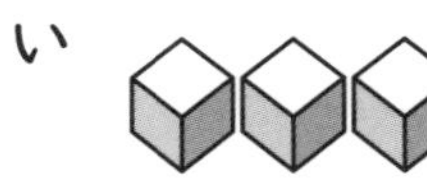

う 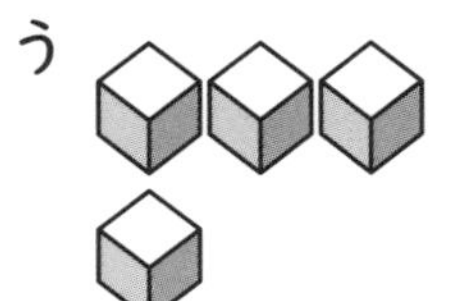

え 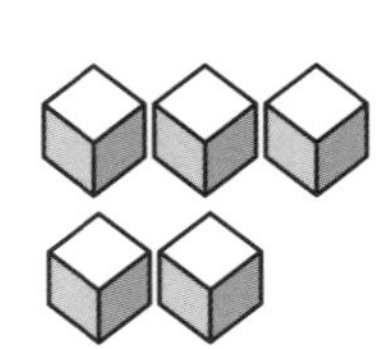

98ページの解答

283日目

284日目 え

285日目 あ

このページの解答は 103ページ

292日目

かんらん車が矢じるしの方こうに回っているよ。ねこが一番上に来たとき、犬と同じ高さにいるどうぶつは、だれかな？

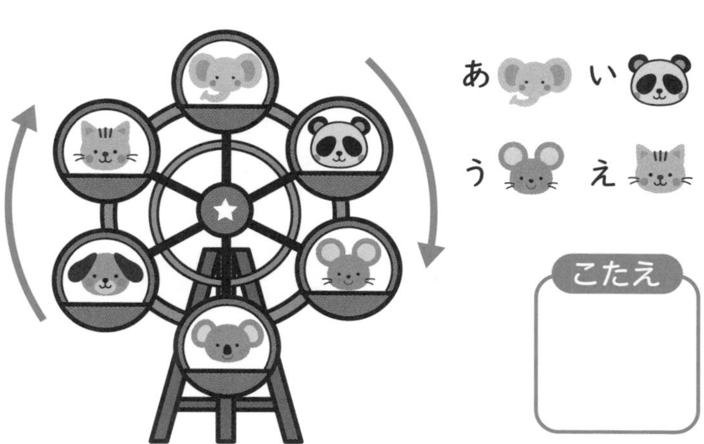

こたえ

293日目

「見本」のはんこをおしてうつるのは、どれかな？

見本

あ

い

う

え

こたえ

294日目

「しりとり」になるように、じゅん番にならべてね。

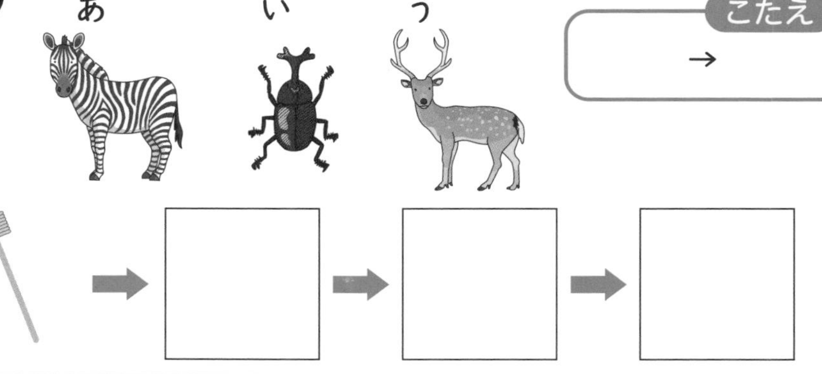

こたえ
→ →

99ページの解答

286日目	287日目	288日目
う	え	え

このページの解答は 104ページ

295日目

くじらがふき上げたしおの高さが、ひくいじゅんにならべてね。

こたえ

→ → →

296日目

食べものだけをたどって、ゴールまで行ってね。

※たてとよこにしかすすめないよ。

297日目

左の絵と同じになるように、線を書いてね。

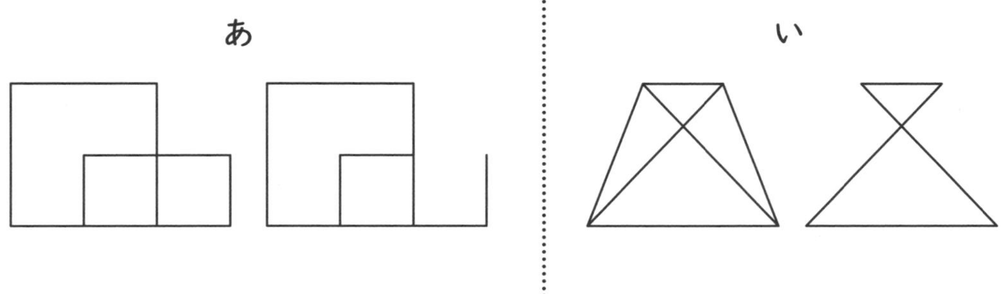

100ページの解答

289日目

え

290日目

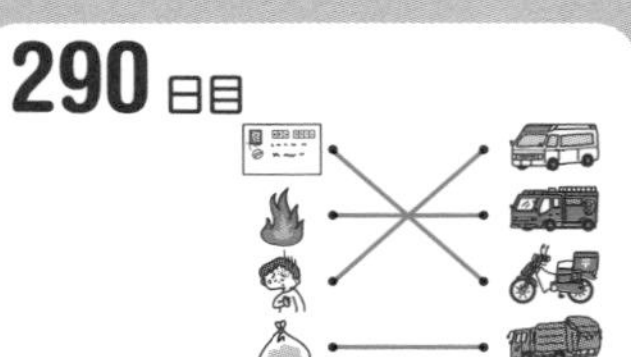

291日目

う

298日目

木のよこに男の子が立っているよ。むこうにいるくまから見ると、どう見えるかな？

こたえ

299日目

「見本」のパズルを作るとき、つかわないものは、どれかな？

見本

あ 

い 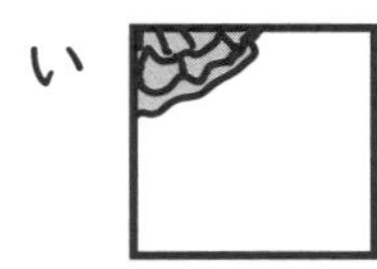

う 

え

お 

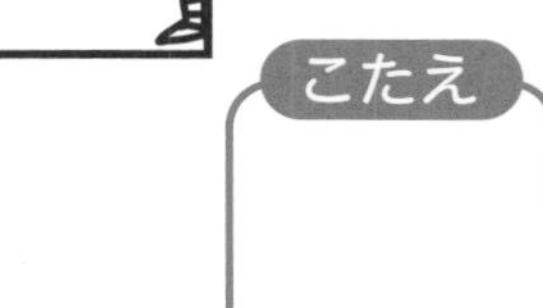

こたえ

300日目

あめを３人に同じ数で分けるとき、あまるのは、いくつかな？

こたえ

あ 

い 

う

え 

101ページの解答

292日目	293日目	294日目
あ	あ	う→い→あ

301日目

小さなバケツ２つで大きなバケツ１つがいっぱいになるよ。小さなバケツ６つでいっぱいにできる大きなバケツは、いくつかな？

?

あ　い　う　え

こたえ

302日目

「見本」のようにトランプをかさねたとき、一番下にあるのは、どれかな？

見本

あ　い　う　え

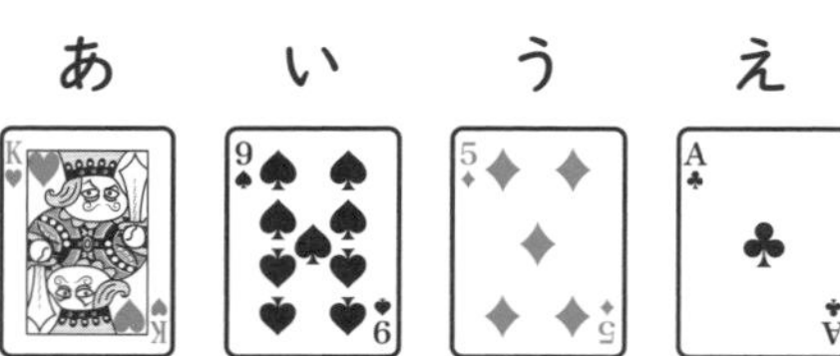

こたえ

303日目

つみ木の数が少ないものから、じゅん番にならべてね。

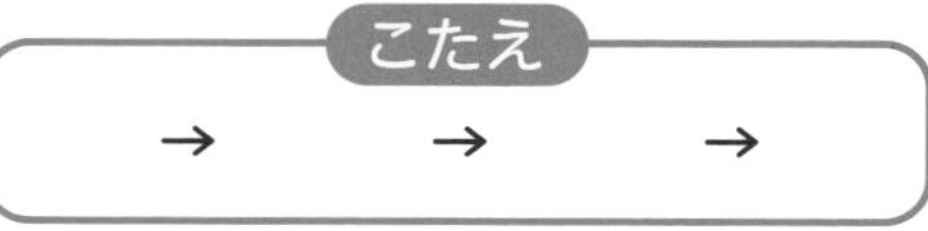

こたえ

→　→　→

あ

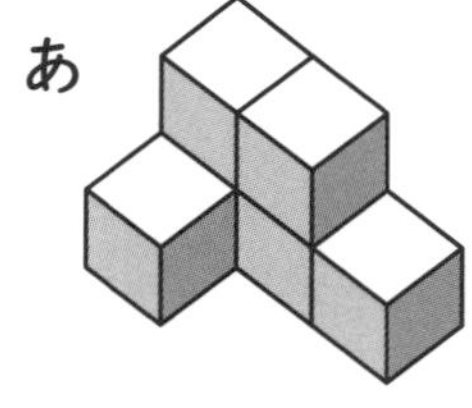

い

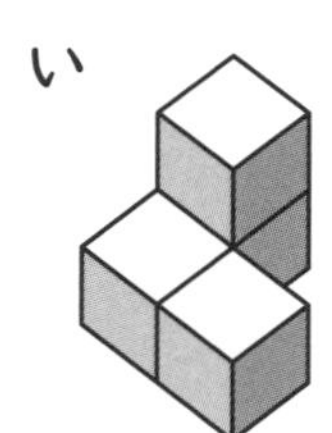

う

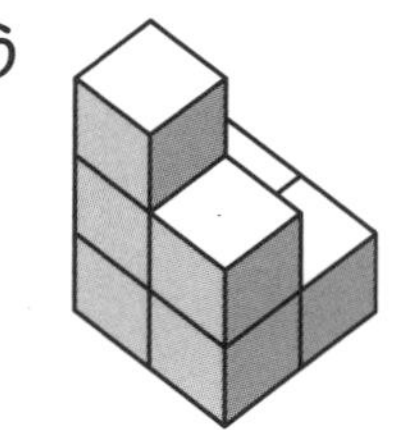

え

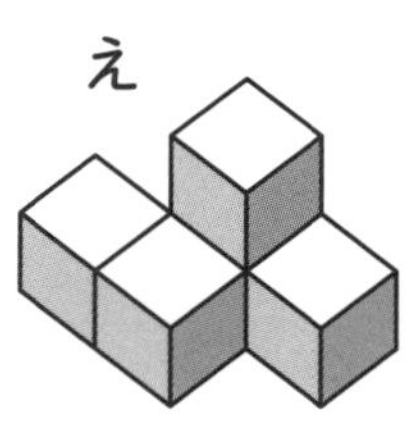

102ページの解答

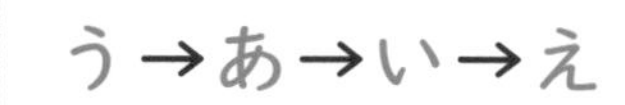

295日目

う→あ→い→え

296日目

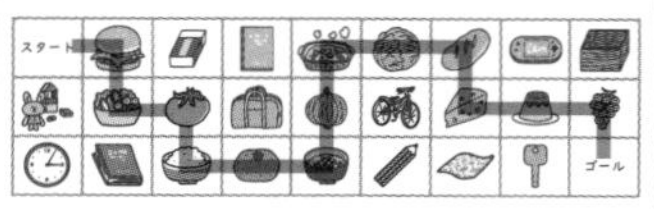

297日目

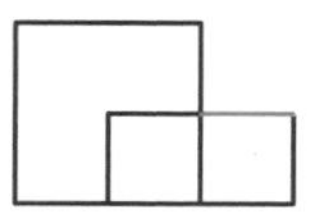

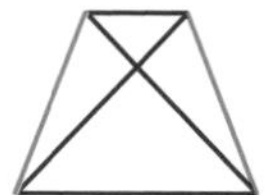

てんかい図を組み立てたとき、「見本」の立体になるのはどれかな？

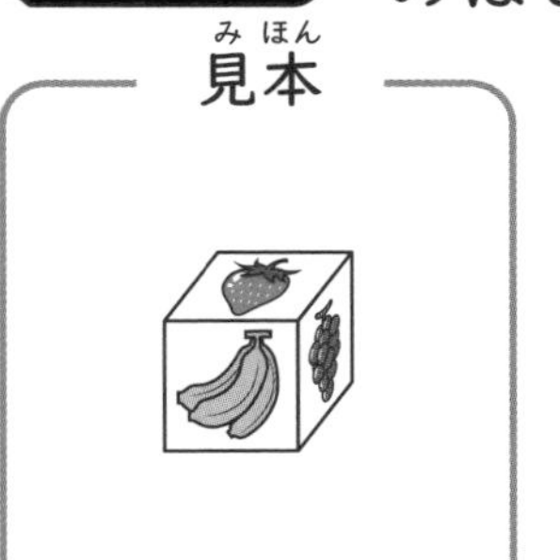

あ 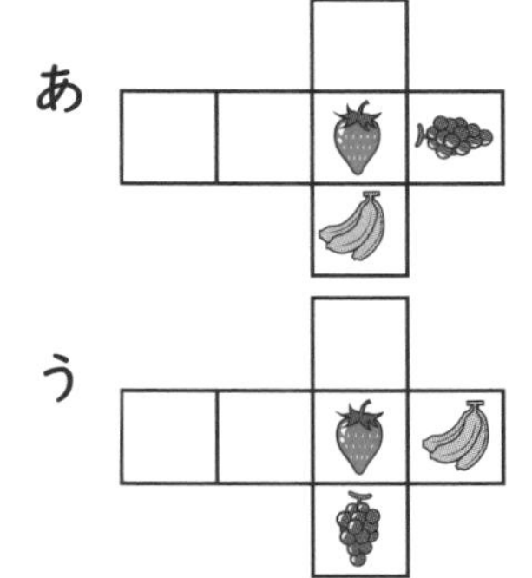

い 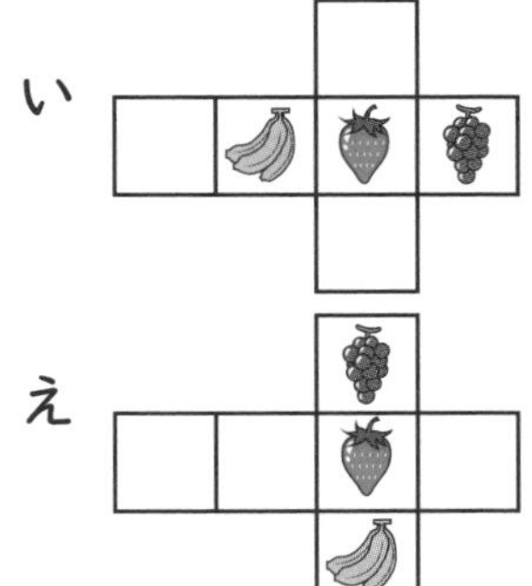

う

え

305 日目

シーソーで３頭のどうぶつのおもさくらべをしたよ。一番おもいどうぶつは、だれかな？

こたえ

あ 

い 

う 

え 

306 日目

「見本」のもようを組み合わせてできるのは、どれかな？

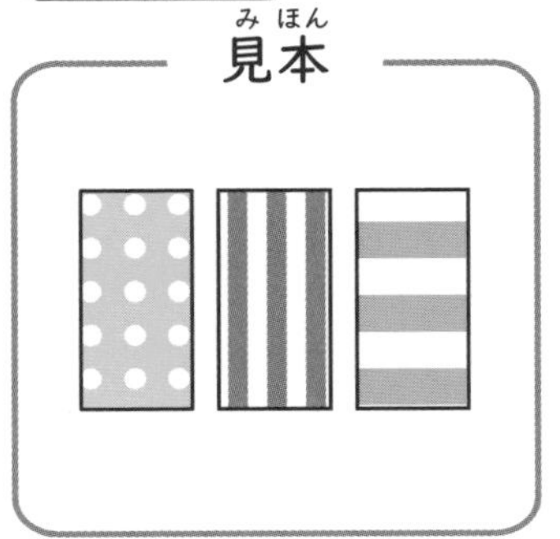

あ 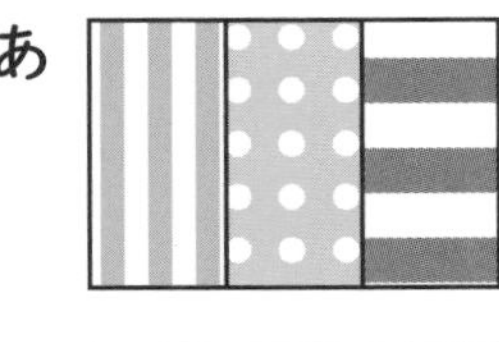

い 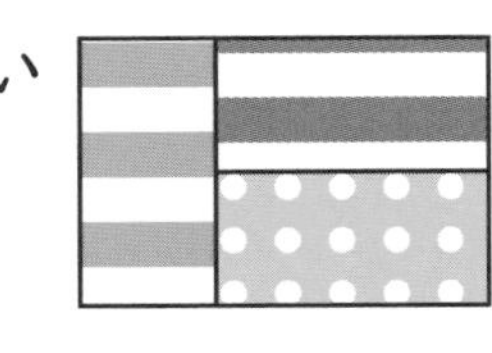

う 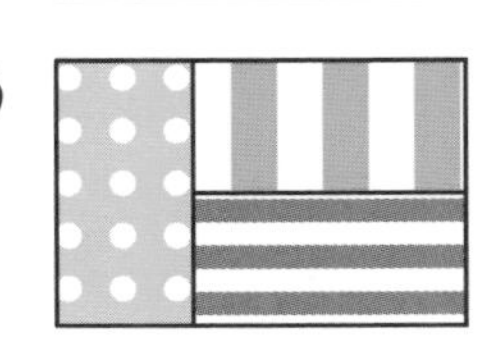

え 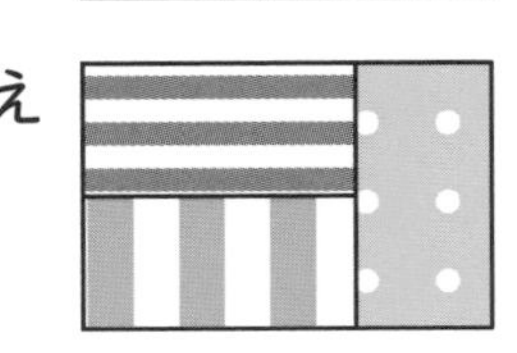

103 ページの解答

298 日目	299 日目	300 日目
い	え	う

このページの解答は 108ページ

時計をじゅん番にならべたとき、□に入るのは、どれかな？

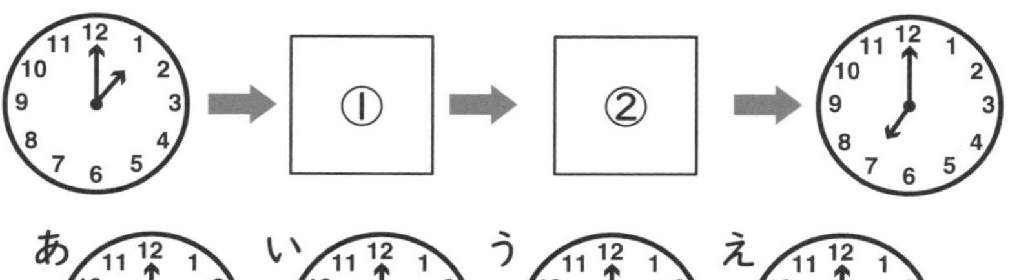

あ 
い 
う 
え 

308 日目

クッキーはぜんぶで何まいあるかな？

あ　6まい

い　5まい

う　10まい

え　9まい

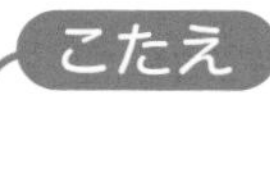

309 日目

「見本」を――で切ったときの切り口は、どれになるかな？

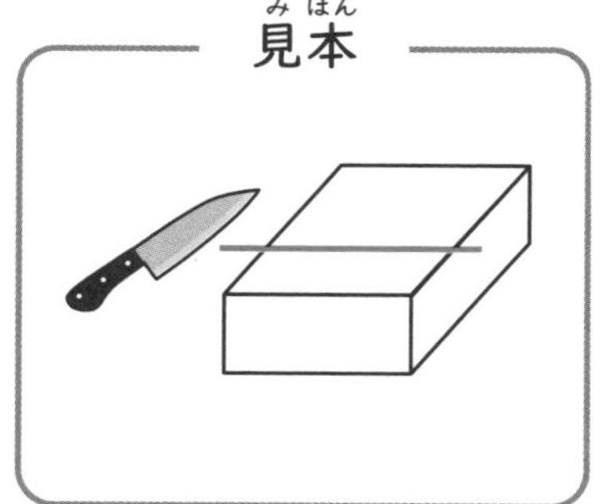

あ 
い 
う 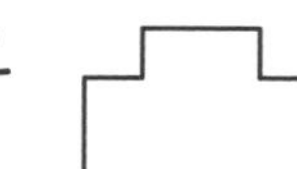
え

こたえ

104ページの解答

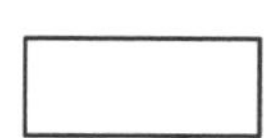

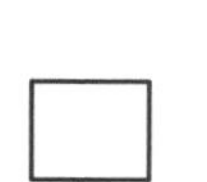

301日目	302日目	303日目
う	い	い→え→あ→う

このページの解答は 109ページ

310日目

数がちがうのは、どれかな？

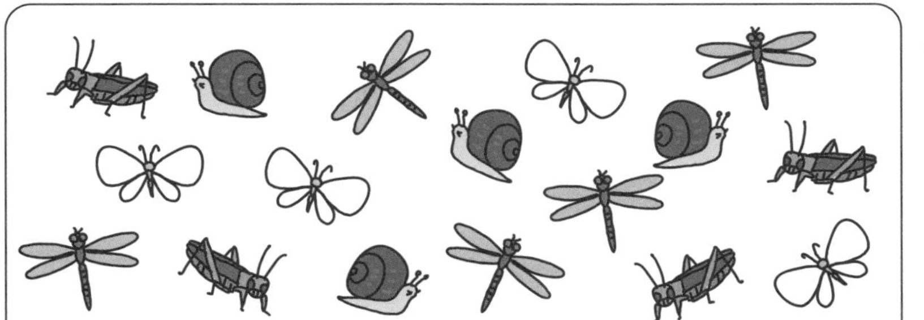

311日目

おり紙を４つにおって、──を切ってひらくと、どれになるかな？

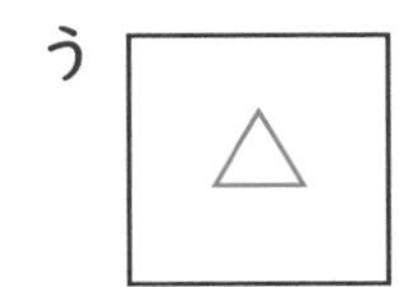

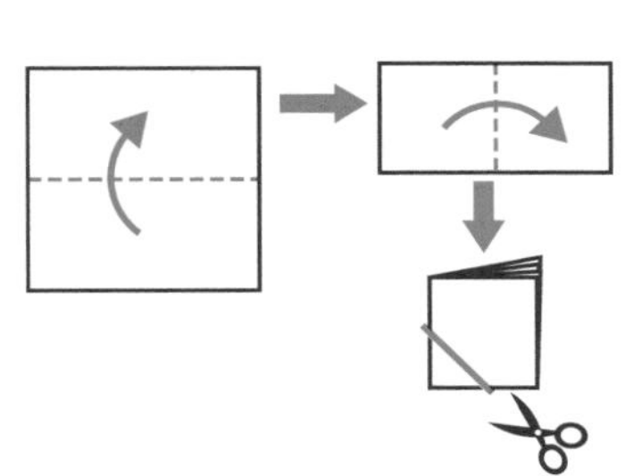

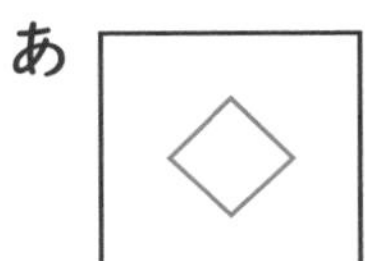

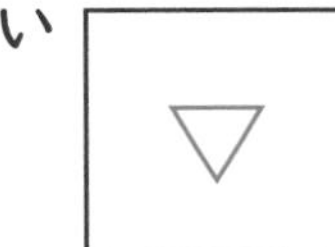

う

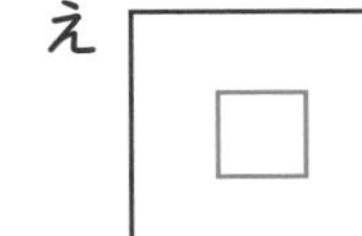

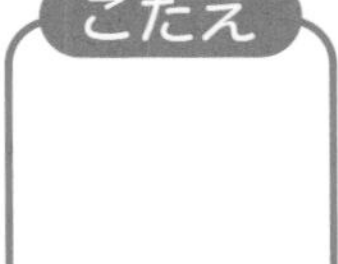

312日目

右の絵と左の絵には、ちがうところが４つあるよ。どこかな？　右の絵に○をつけてね。

105ページの解答

304日目	305日目	306日目
あ	え	う

このページの解答は 110ページ

313日目

ふくろに１ぴきずつ金魚を入れると、足りないふくろはあと何まいかな？

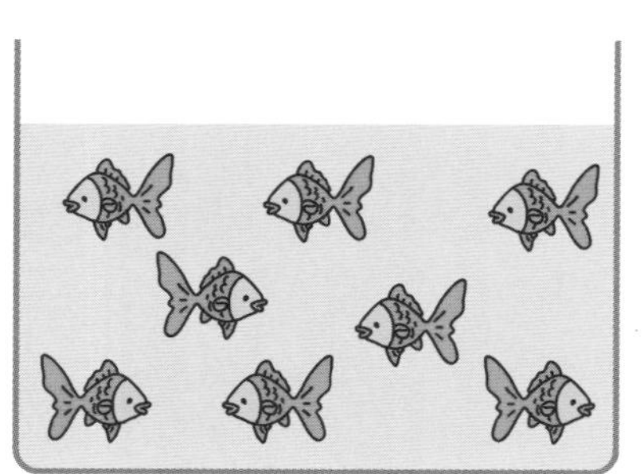

あ

い

う

え

こたえ

314日目

はちがつぎにとまる花は、どれかな？

あ　い　う　え

こたえ

315日目

かんけいのふかいものを、線でむすんでね。

106ページの解答

307日目	308日目	309日目
①ーう　②ーあ	え	い

このページの解答は 111ページ

316日目

かんらん車(しゃ)に先頭(せんとう)から2ひきずつのるよ。たぬきといっしょにのるどうぶつは、どれかな？

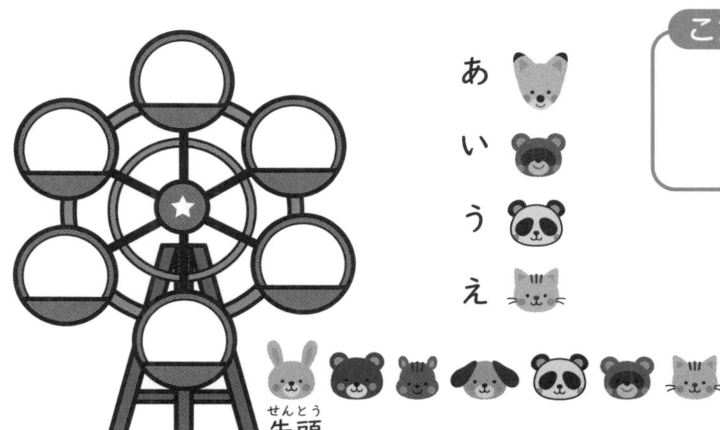

こたえ

317日目

•を線(せん)でむすんで、「見本(みほん)」と同(おな)じ形(かたち)を書(か)いてね。

見本(みほん)

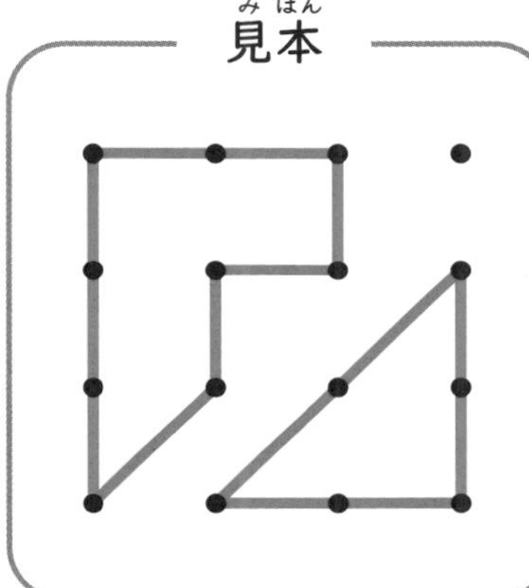

318日目

「見本(みほん)」のように、おり紙(がみ)をおるよ。ひらいたときにできる「おりすじ」は、どれかな？

見本(みほん)

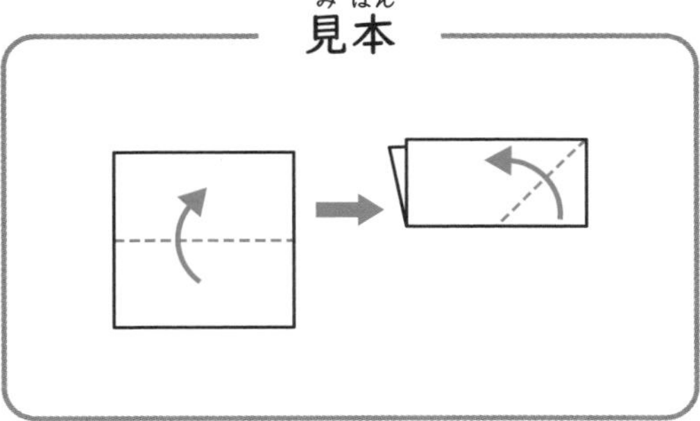

あ

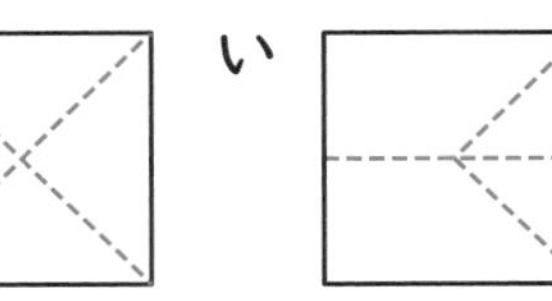

い

う

え

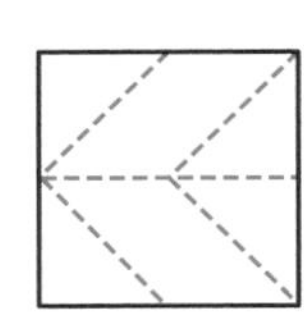

こたえ

107ページの解答

310日目 あ

311日目 あ

312日目

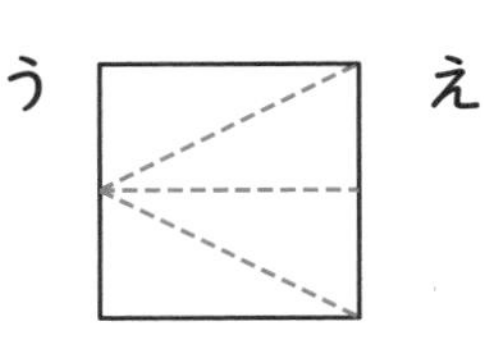

「しりとり」をして、ゴールまで行ってね。とおった道に線を引いてね。

スタート

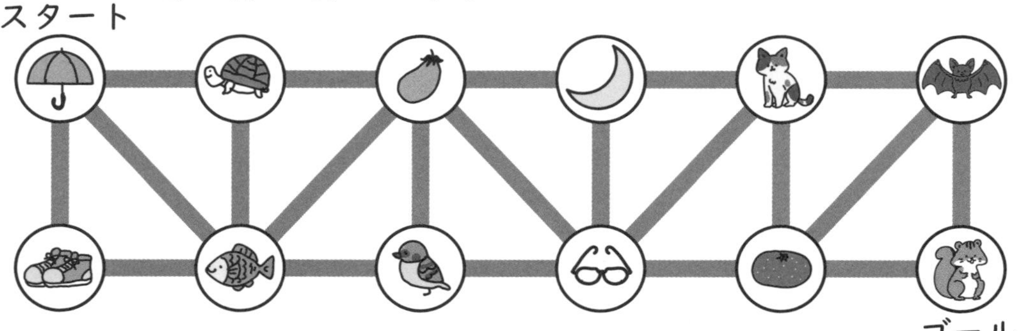

ゴール

ぜんいんがたこやきを２つずつ食べたとき、あまるのはいくつかな？

こたえ

あ 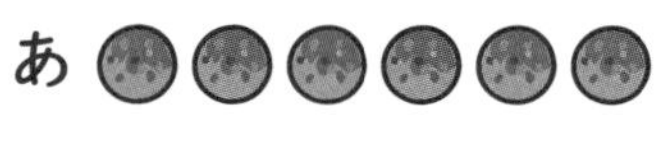

い 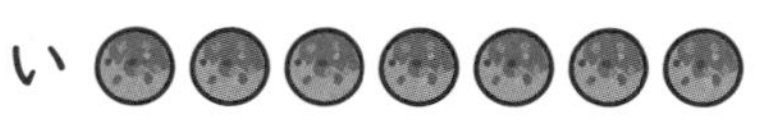

う 

え 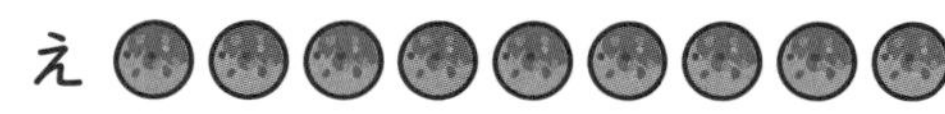

「見本」の形を作るとき、つかわないのは、どれかな？

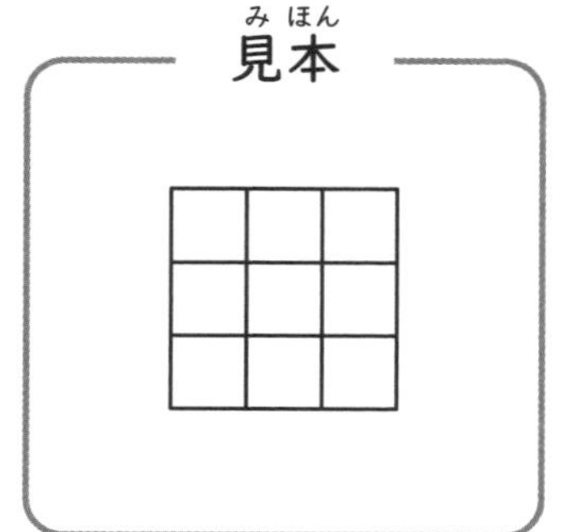

あ 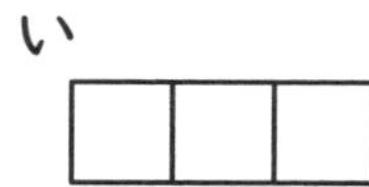

い

う

え

108ページの解答

313日目 う

314日目 い

315日目

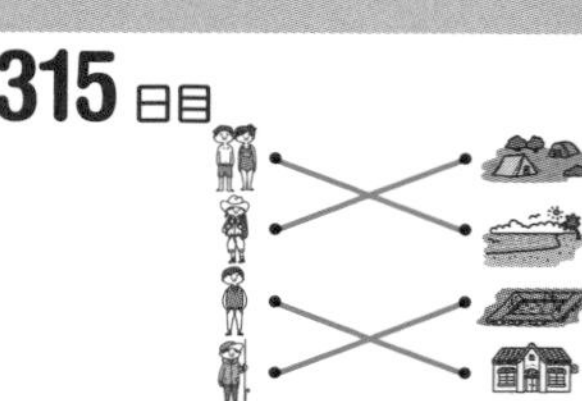

このページの解答は 113ページ

322日目

「見本」のつみ木を、むこうがわに回って矢じるしの方こうのま上から見ると、どう見えるかな？

見本

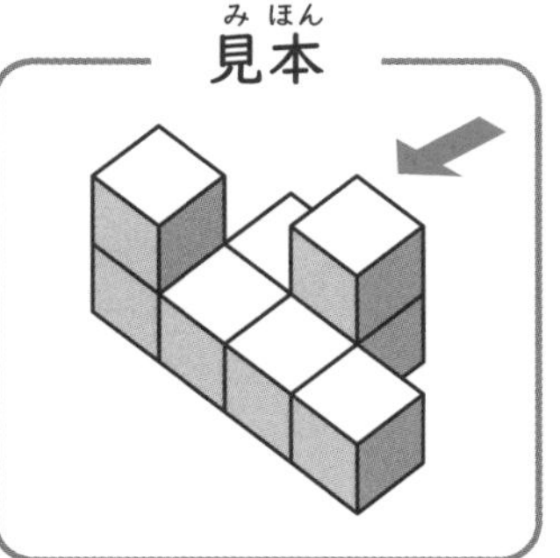

あ

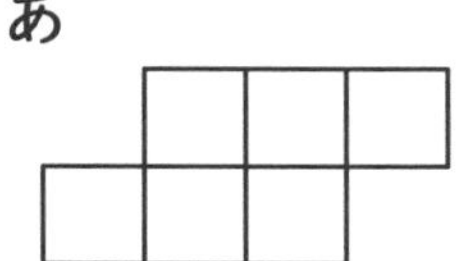

い

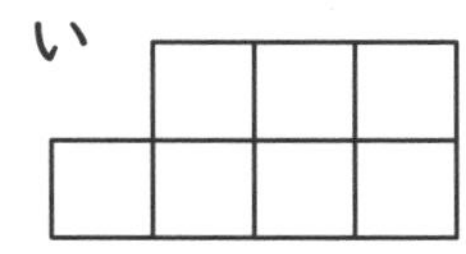

う

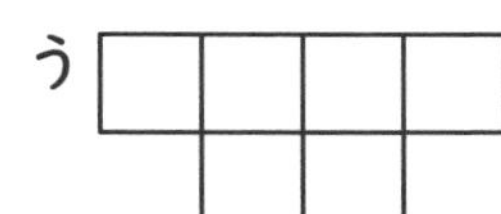

え

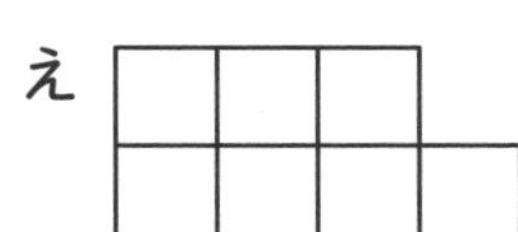

323日目

水に角ざとうを１つ入れるよ。水が一番あまくなるのは、どれかな？

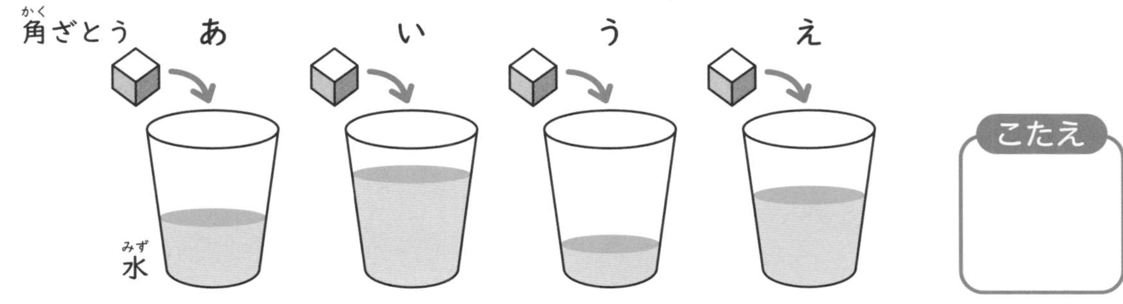

324日目

赤いやねの上にえんとつがあって、円いまどが２つあるのは、どのどうぶつの家かな？

あ　たぬき

い　きつね

う　うし

え　うさぎ

お　やぎ

109ページの解答

316日目　う

317日目

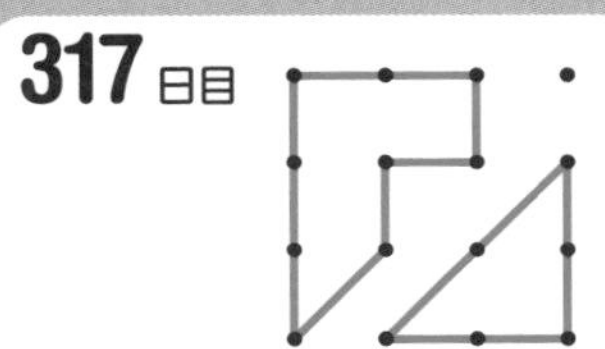

318日目　い

このページの解答は 114ページ

325日目

ひよことうさぎは「見本」のようにかいだんを上るよ。2ひきが同時に出ぱつしてうさぎがゴールについたとき、ひよこはどこにいるかな？

見本

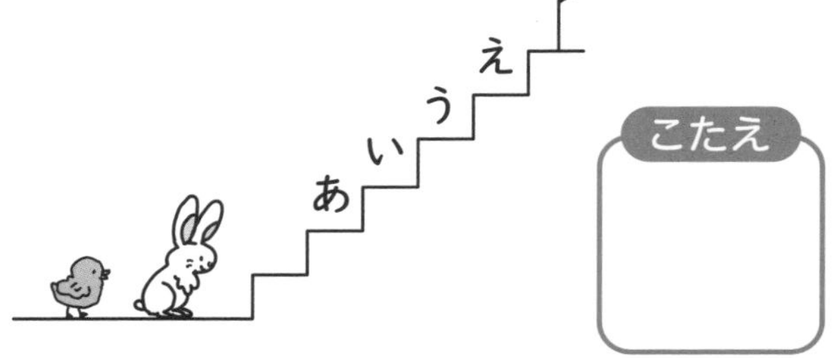

こたえ

326日目

小さなコップ3つで大きなコップ1つがいっぱいになるよ。大きなコップ3つをいっぱいにできる小さなコップは、いくつかな？

こたえ

327日目

「見本」の絵をぬるためにひつようなクレヨンの組み合わせは、どれかな？

見本

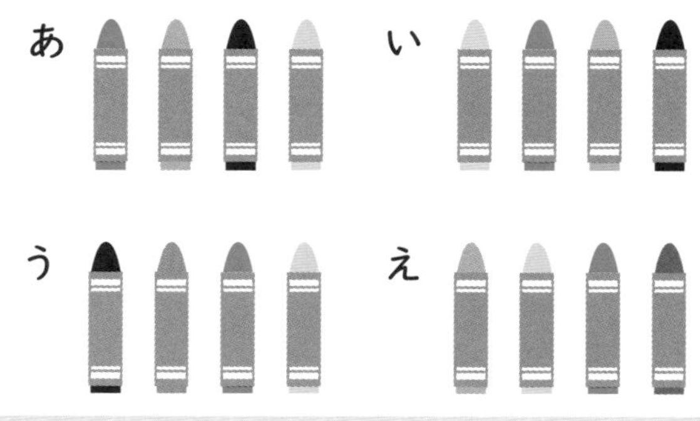

110ページの解答

319日目

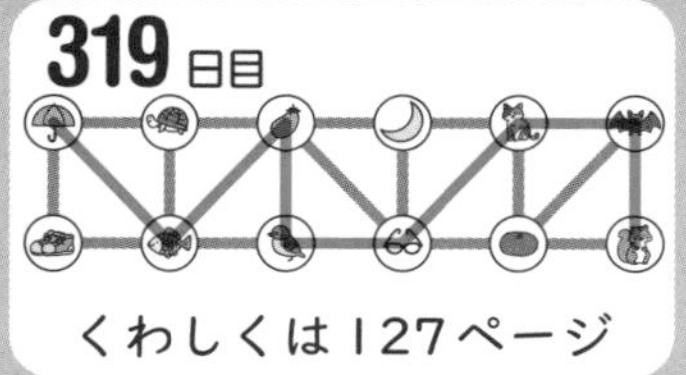

くわしくは127ページ

320日目

い

321日目

い

このページの解答は 115ページ

つみ木の数が多いじゅんにならべてね。

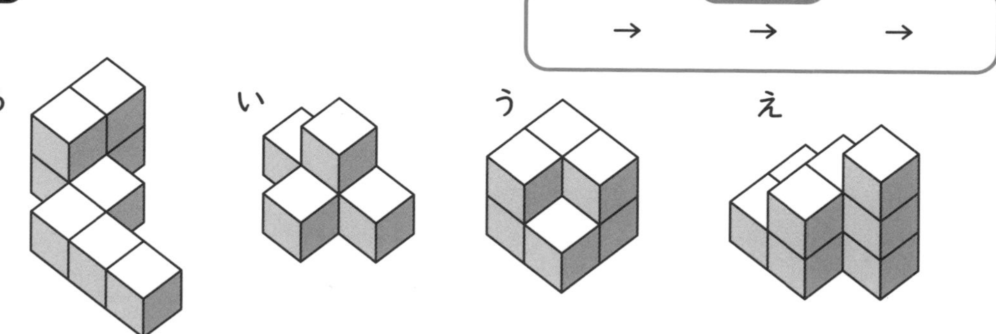

329
日目

「ふしぎなトンネル」に入れると、形がかわるよ。⬠を入れると、どれにかわるかな？

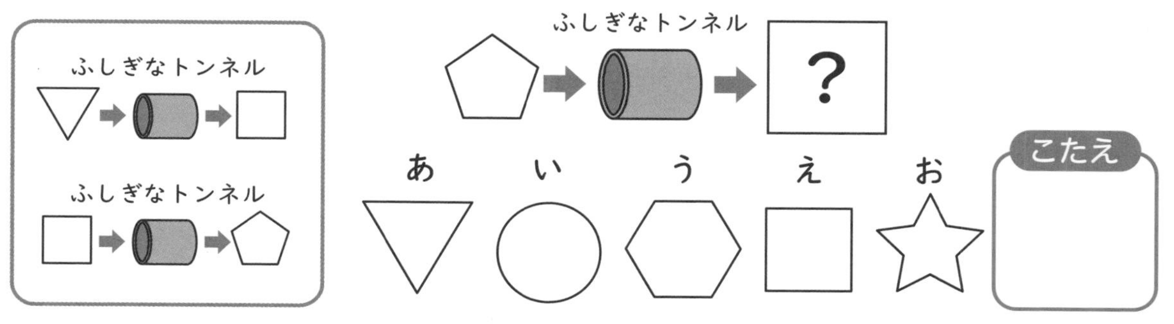

330
日目

「見本」のぶひんをぜんぶつかってできるのは、どれかな？

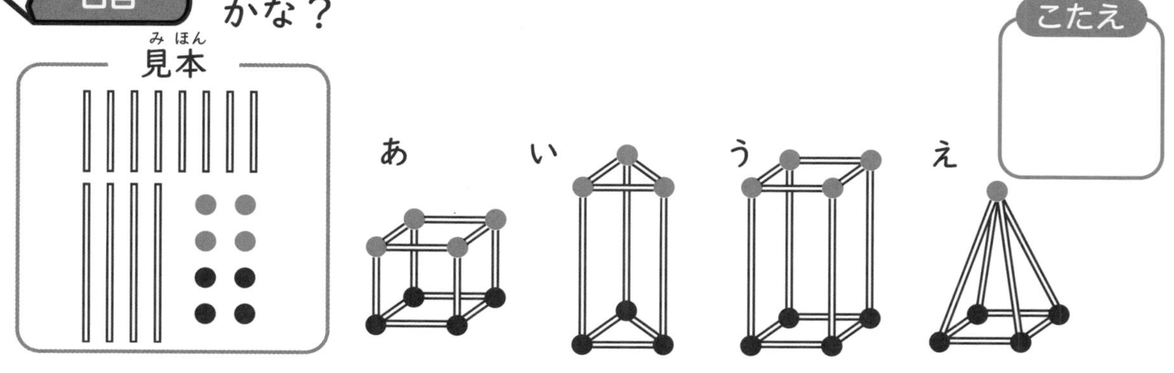

111 ページの解答

322日目	323日目	324日目
う	う	い

このページの解答は 116ページ

■で切ったときの切り口は、どれかな？

 ● ● 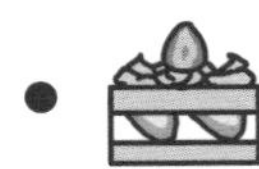

 ● ● 

 ● ● 

 ● ● 

332 日目

「見本」から1時間たったよ。正しい時計は、どれかな？

見本

あ

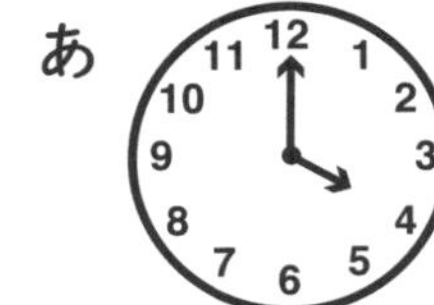

い

う

え

333 日目

1ぴきの犬に1本のリードをつなぐよ。どちらがどれだけあまるかな？

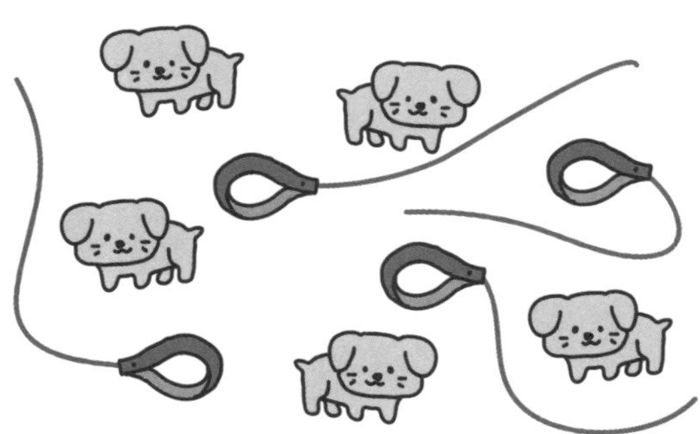

あ 

い

う

え 

お どちらもあまらない

112ページの解答

325日目	326日目	327日目
い	え	あ

このページの解答は 117 ページ

334日目

水（みず）のりょうが一番（いちばん）多（おお）く入（はい）るコップは、どれかな？

あ
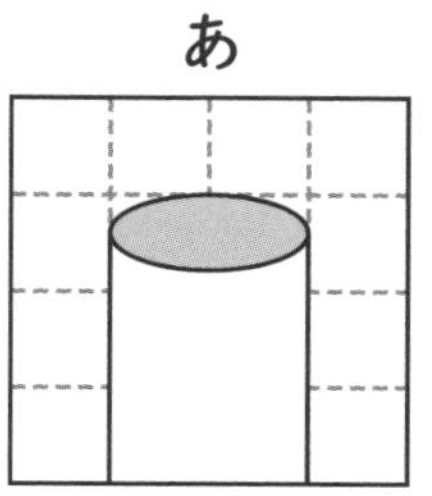
い
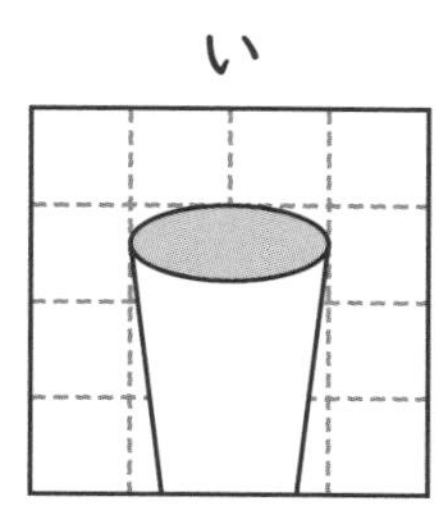
う
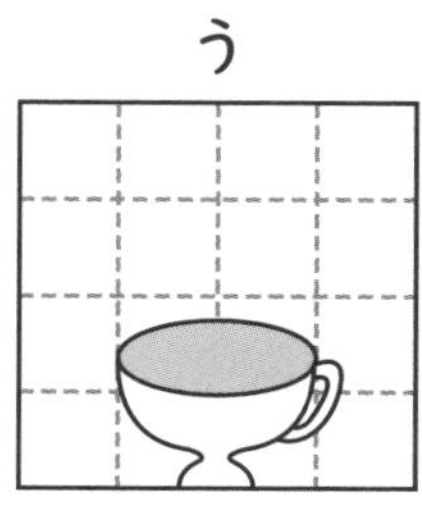
え
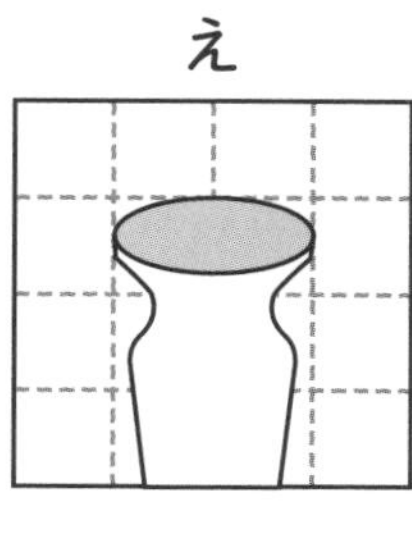

335日目

「見本（みほん）」と同（おな）じものは、どれかな？

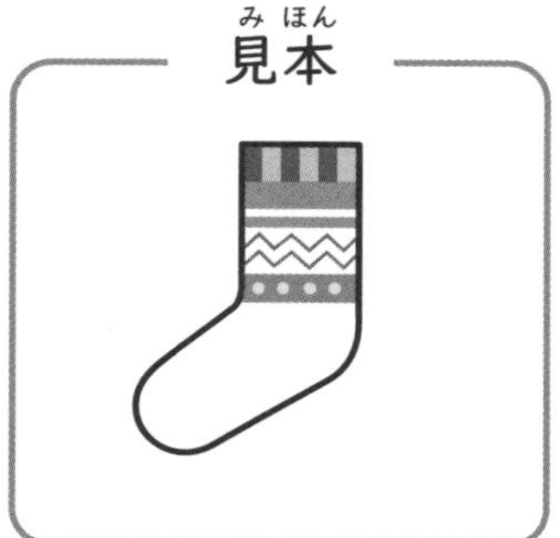

あ

い

う

え

336日目

おり紙（がみ）を------でおって、——を切（き）りぬいてひらくと、どれになるかな？

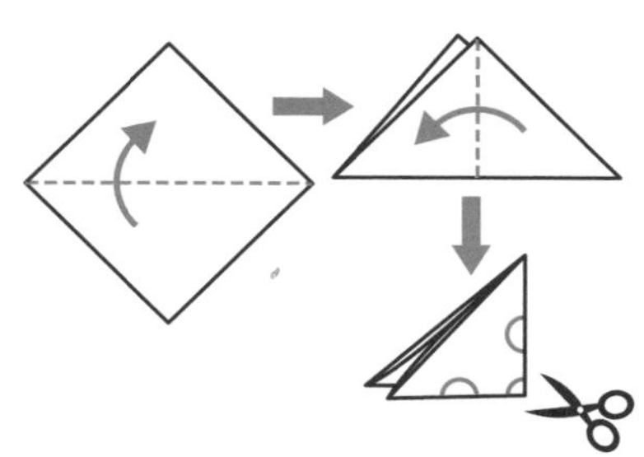

あ
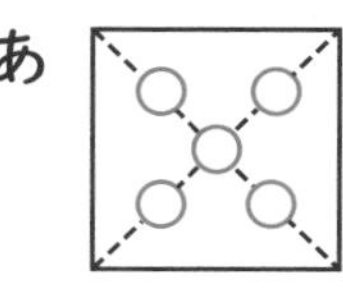
い
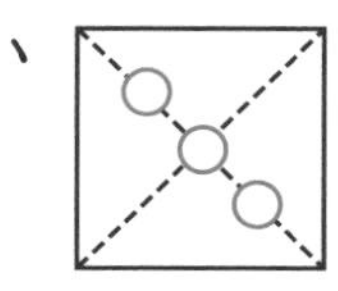
う
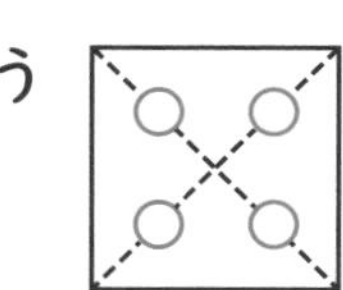
え
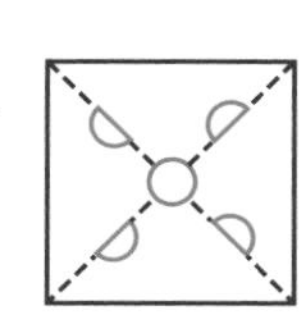

113ページの解答

328日目	329日目	330日目
え→あ→う→い	う	う

337日目

「見本(みほん)」のはんこをおしてうつるのは、どれかな？

見本(みほん)

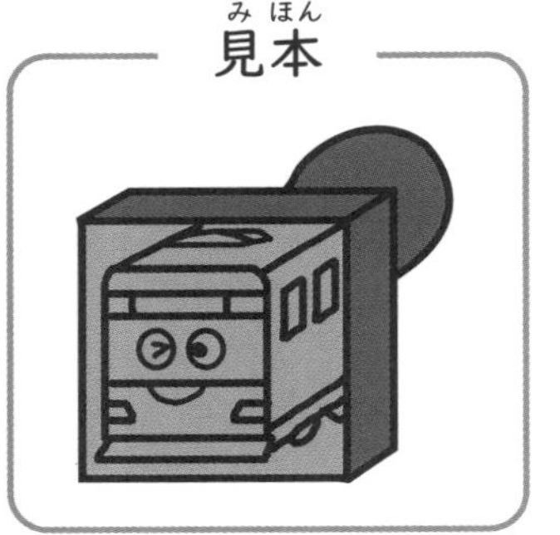

あ 

い 

う 

え 

こたえ

338日目

つぎの絵(え)には、おかしなところが4つあるよ。○をつけてね。

339日目

「見本(みほん)」の形(かたち)を作(つく)るとき、つかわないつみ木(き)は、どれかな？

見本(みほん)

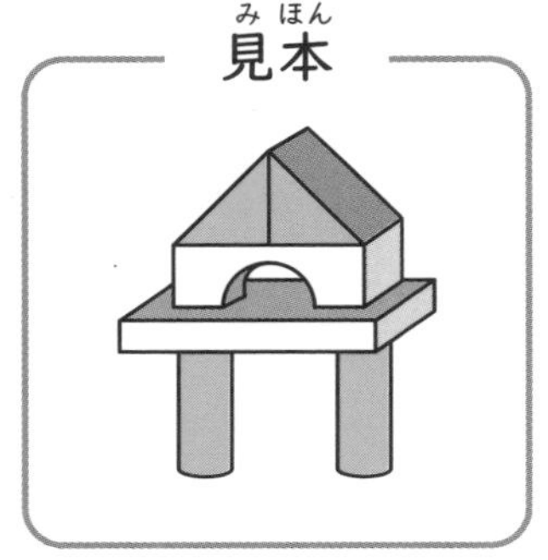

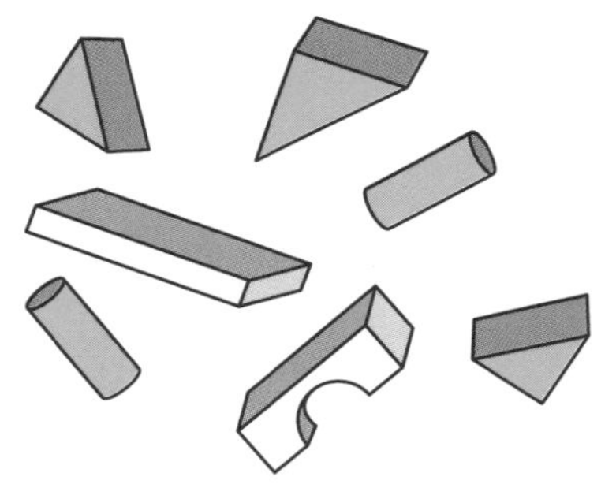

あ 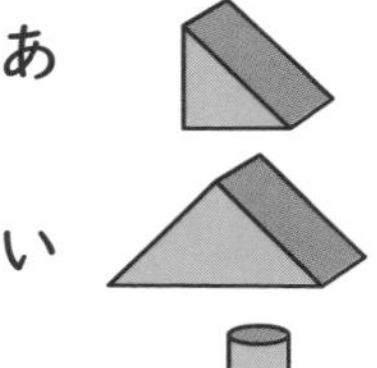

い

う 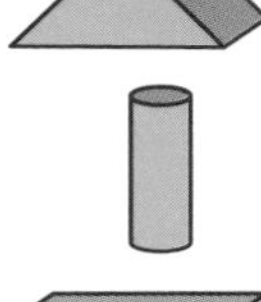

え

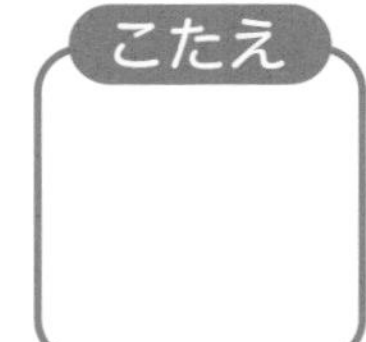

こたえ

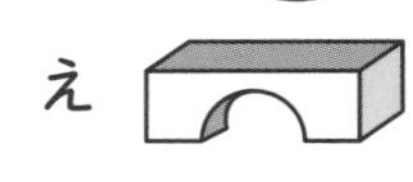

114ページの解答

331日目

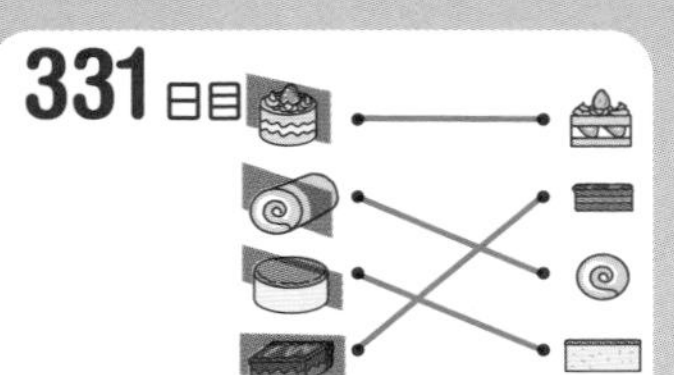

332日目 あ

333日目 あ

このページの解答は 119ページ

340日目

？ に入るのは、どれかな？

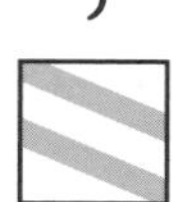

あ　い　う　え

こたえ

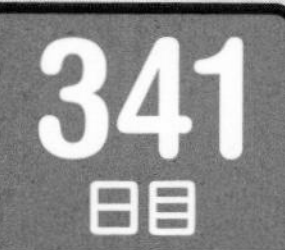

341日目

数が同じものは、どれとどれかな？

こたえ
と

あ

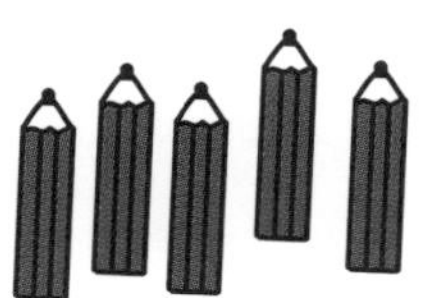

い

う

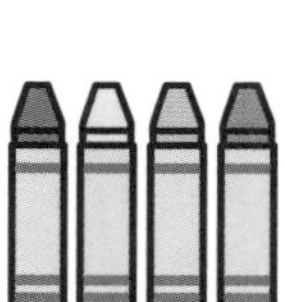

え

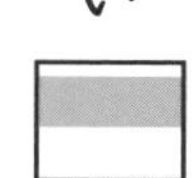

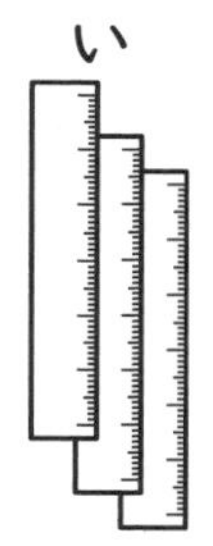

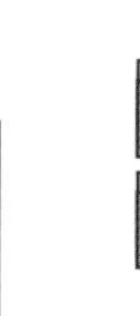

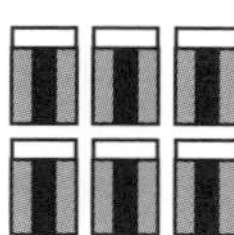

お

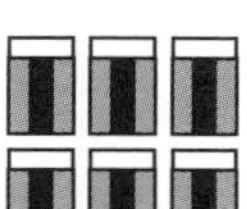

342日目

ひもを――で切るよ。何本になるかな？

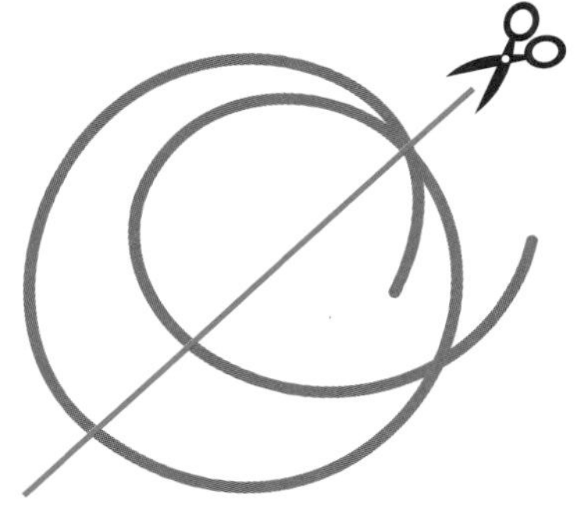

あ　3本
い　4本
う　5本
え　6本

こたえ

115ページの解答

334日目	335日目	336日目
あ	う	あ

このページの解答は 120ページ

343日目

「見本」のパズルを作るとき、つかわないものは、どれかな？

見本

あ

い
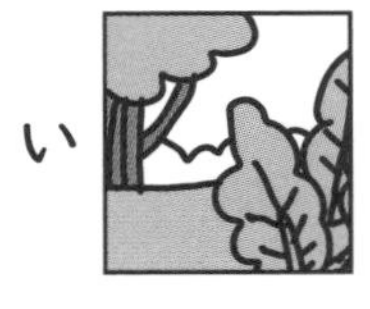
う

え
お
か

き

344日目

「しりとり」になるように、じゅん番にならべてね。

あ

い

う
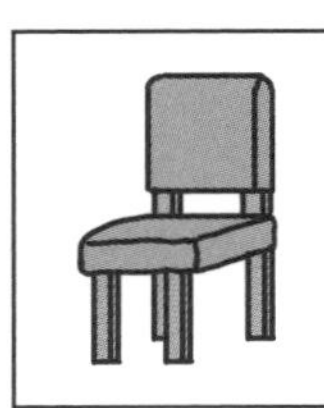
え
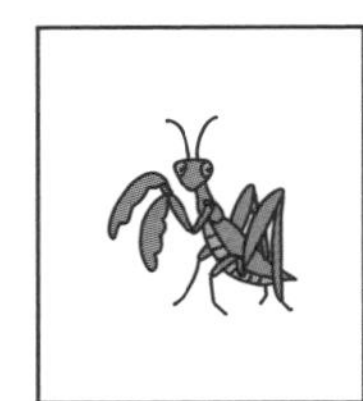

こたえ

→　→　→

345日目

「見本」のピザを同じ大きさに切って３人に分けるには、どう切ればいいかな？

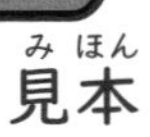

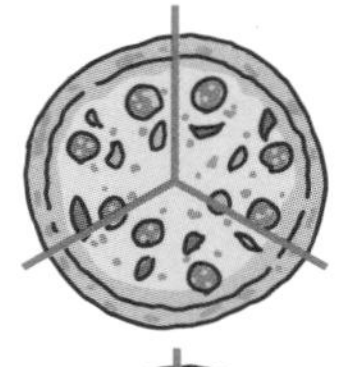

見本

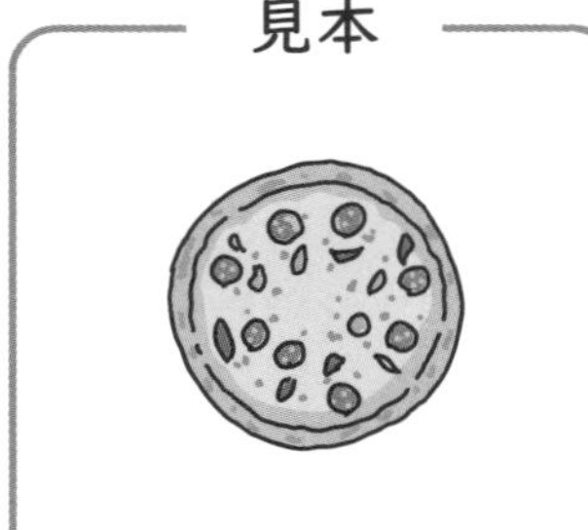

あ
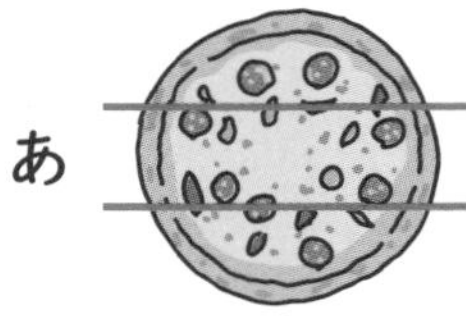
い
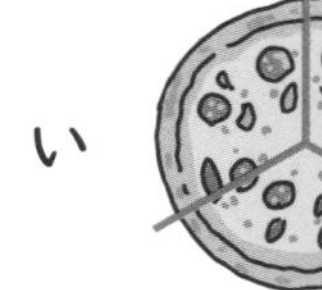
う
え
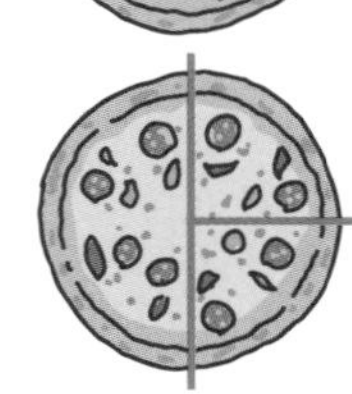

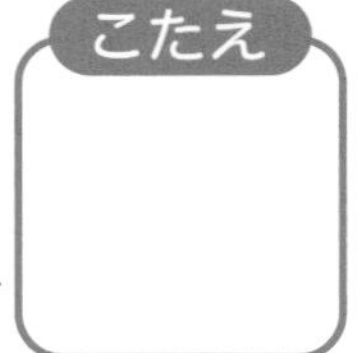

116ページの解答

337日目

え

338日目

くわしくは127ページ

339日目

い

346日目

1まいのさらに、赤(あか)いまんじゅうと白(しろ)いまんじゅうを1つずつのせていくよ。どちらがどれだけ多(おお)いかな？

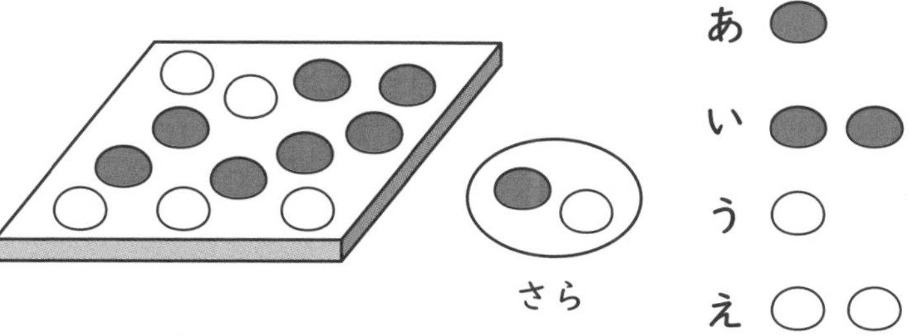

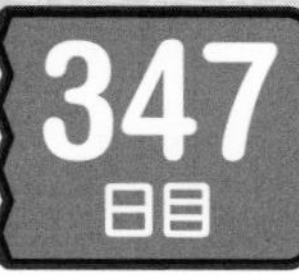

347日目

ジェットコースターがうごきだしたよ。
？ のところでは、どうなっているかな？

あ い う え

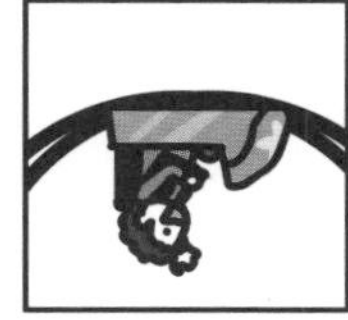

348日目

「見本(みほん)」の紙(かみ)パックをすなの上(うえ)において矢(や)じるしの方(ほう)こうにうごかしたときの「あと」は、どれが近(ちか)いかな？

見本(みほん)

あ い う え

こたえ

117ページの解答

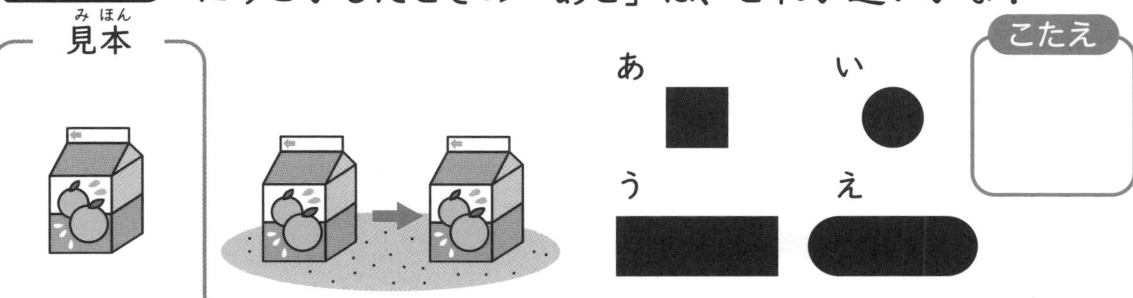

340日目	341日目	342日目
あ	あとえ	う

このページの解答は 122ページ

黒くぬった2まいのとう明な紙をそのままかさねると、どんなふうに見えるかな？

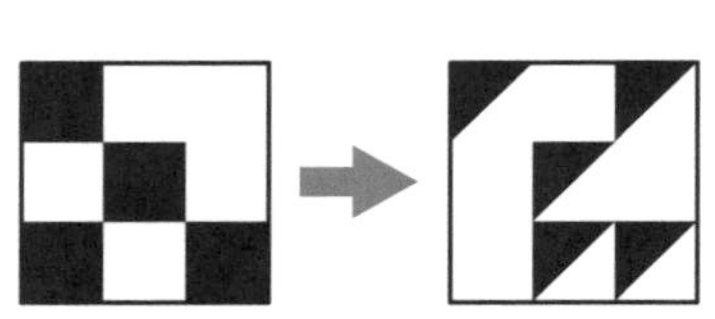

あ 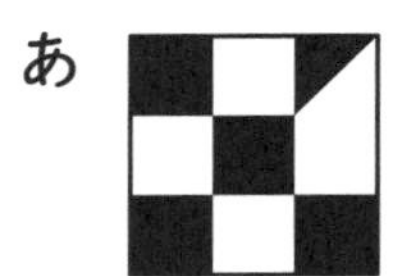

い 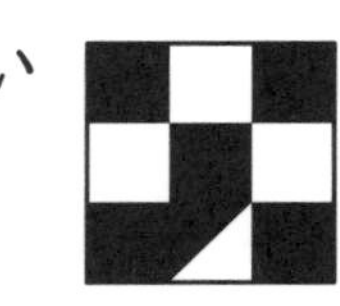

う 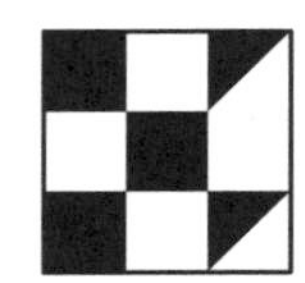

え 

350 日目

女の子がとび石を1つわたるとき、お父さんはとび石を2つわたるよ。二人が同時に出ぱつしたとき、出会うのはどの石の上かな？

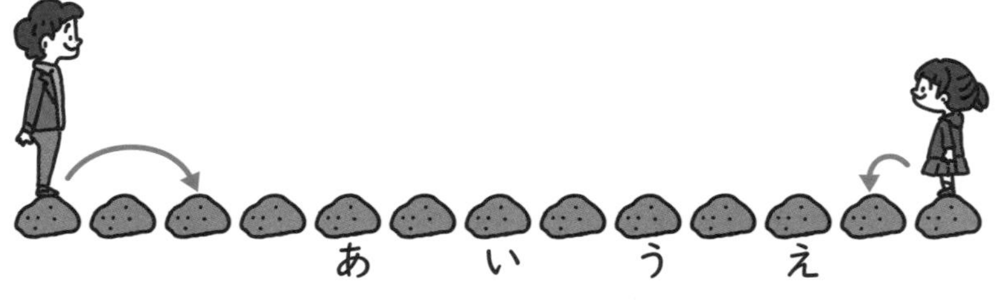

351 日目

かんけいのふかいものを、線でむすんでね。

118 ページの解答

343 日目

お

344 日目

う→あ→え→い

くわしくは127ページ

345 日目

い

352日目

-----でおったときにできる形を、•を線でむすんで右がわに書いてね。

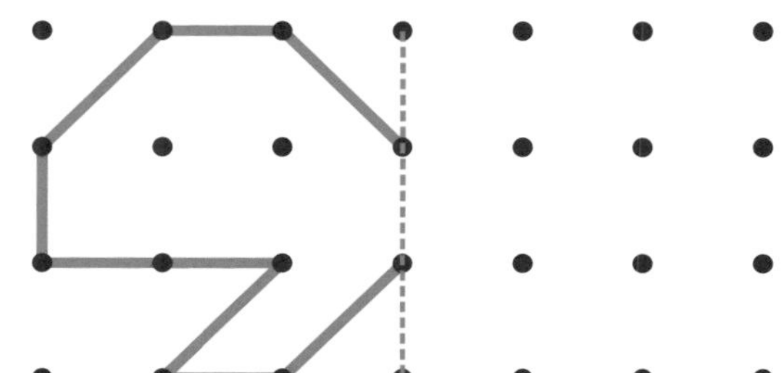

353日目

「見本」のように、おり紙をおるよ。ひらいたときにできる「おりすじ」は、どれかな？

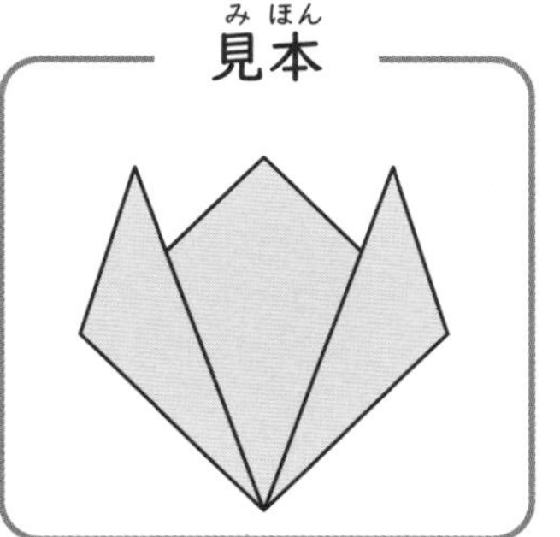

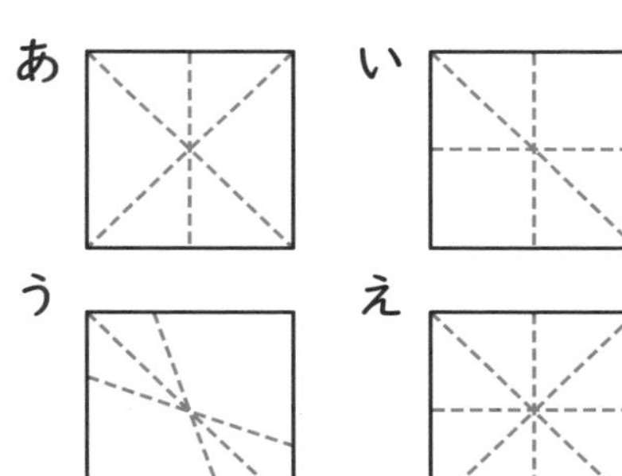

354日目

同じ数のもの同しを、線でむすんでね。

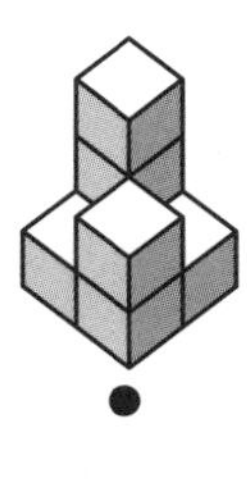
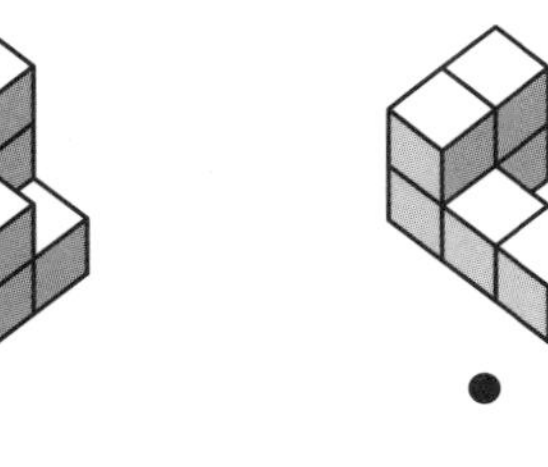
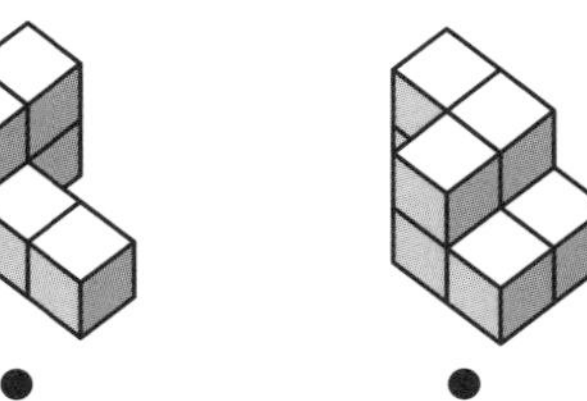
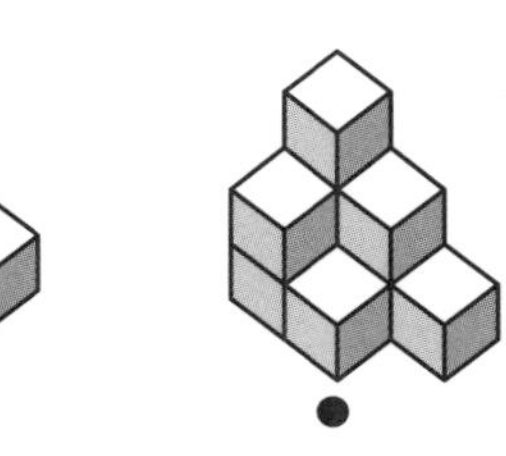

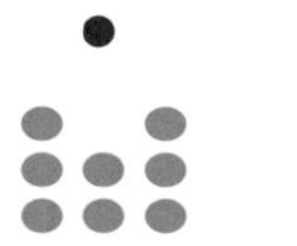
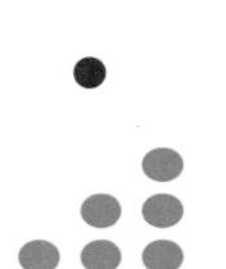
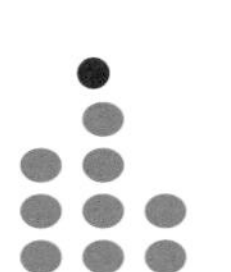
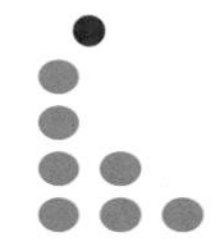

119ページの解答

346日目	347日目	348日目
い	う	う

このページの解答は 124ページ

355日目

パーティーのあとになくなったものは、どれかな？

こたえ

あ

い

う

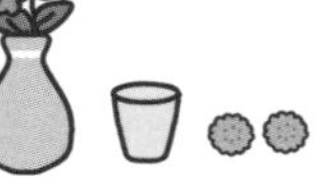

え

356日目

お話(はなし)になるように、じゅん番(ばん)にならべてね。

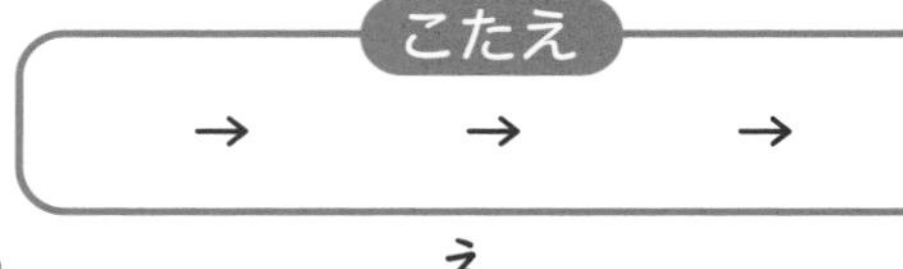

あ

い

う

え

357日目

ねこ → うさぎ → たぬき のじゅんにすすんで、ゴールまで行(い)ってね。とおった道(みち)に線(せん)を引(ひ)いてね。

120ページの解答

349日目 え

350日目 う

351日目

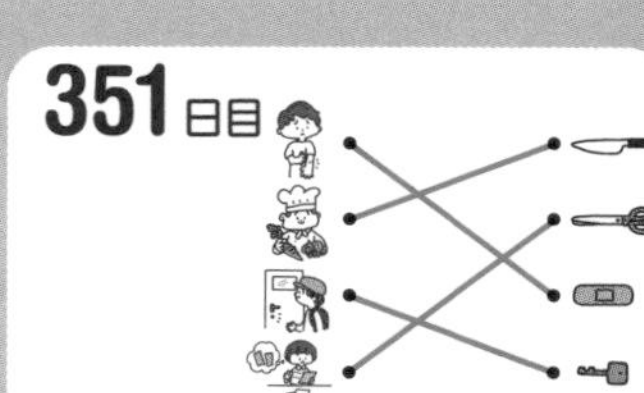

358 日目

左手（ひだりて）は、どれかな？

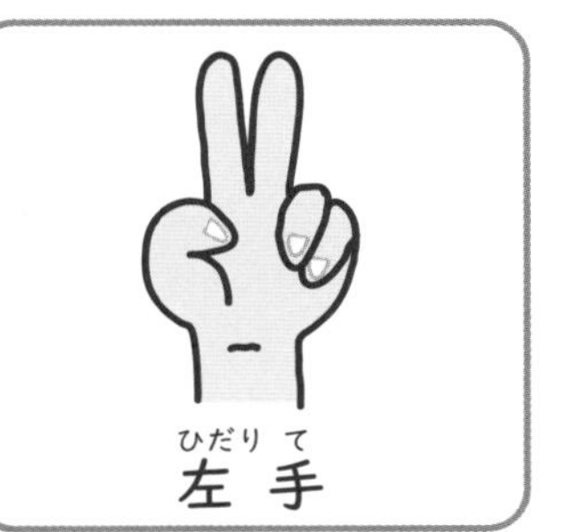

あ 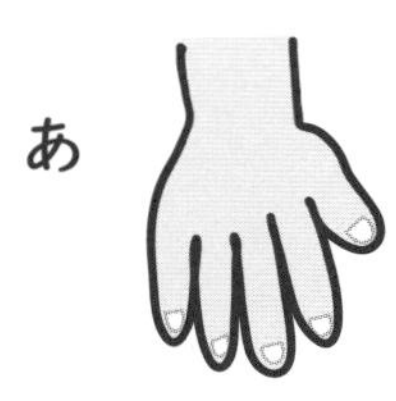

い 

う

359 日目

花（はな）を入（い）れるのにちょうどいいはこは、どれかな？ 線（せん）でむすんでね。

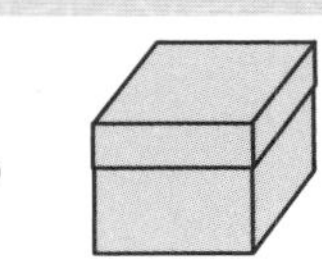

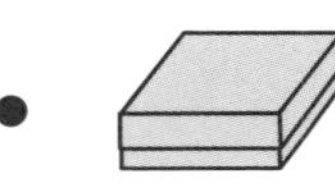

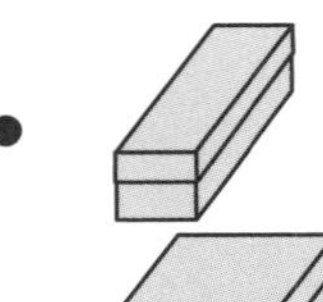

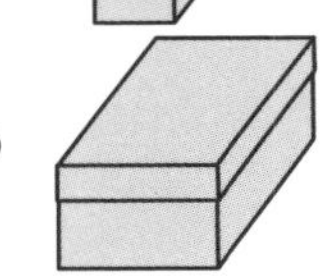

360 日目

たてのれつ、よこのれつ、それぞれに が１つずつ入（はい）るよ。①、②、③に入（はい）るのは、どれかな？

	①	②	
	③		

あ

い 

う 

え

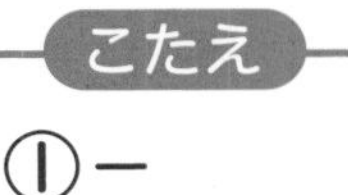

①－

②－

③－

121 ページの解答

352 日目

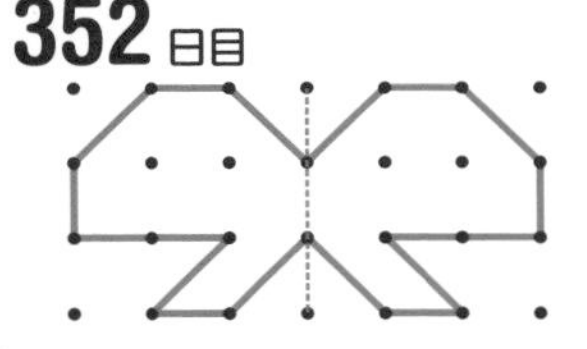

353 日目

う

354 日目

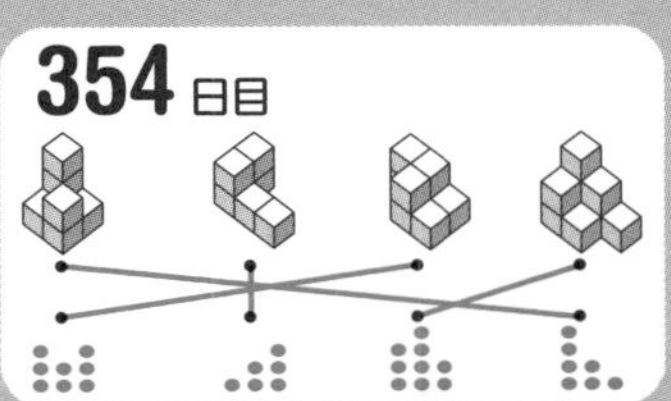

このページの解答は 4ページ

361日目

ケーキを買(か)うよ。足(た)りないのは、何円(なんえん)かな？

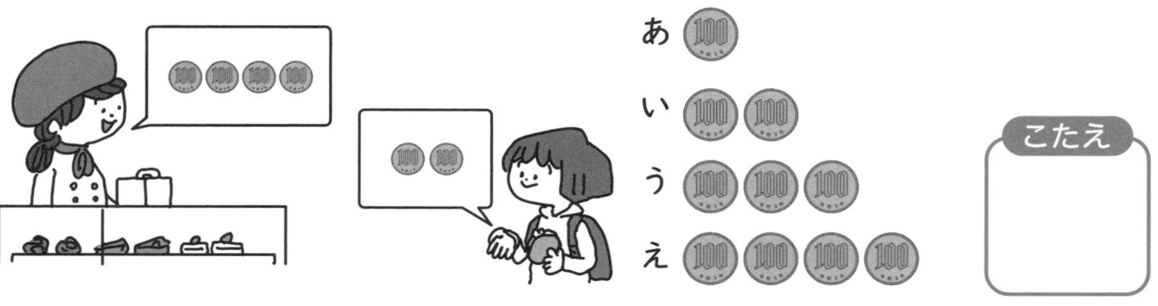

362日目

？ に入(はい)るのは、
だれかな？

363日目

「スタート」から家(いえ)に帰(かえ)る道(みち)を、4とおり書(か)いてね。
※同(おな)じ道(みち)を2回(かい)とおることはできないよ。

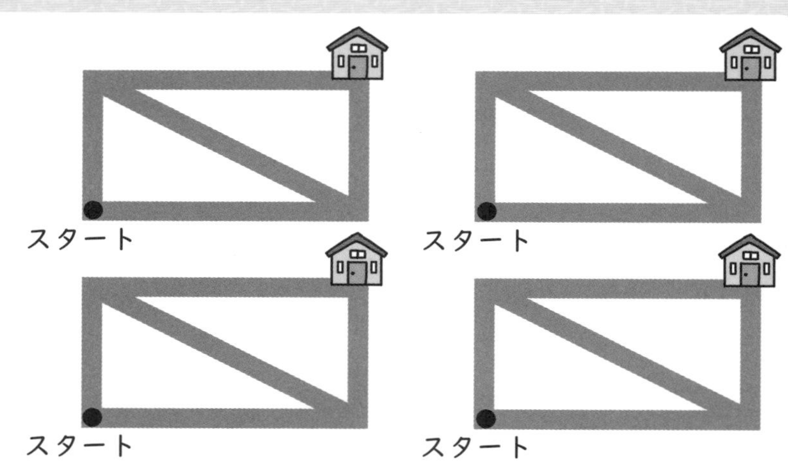

122ページの解答

355日目
い

356日目
い→あ→え→う

357日目

このページの解答は 5ページ

364日目

左のたねやきゅうこんをまいたりうえたりすると、どの花がさくかな？
●を線でむすんでね。

365日目

「見本」の立体のように組み立てられるてんかい図は、どれかな？

見本

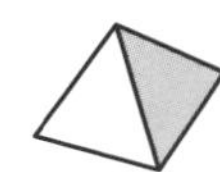

あ

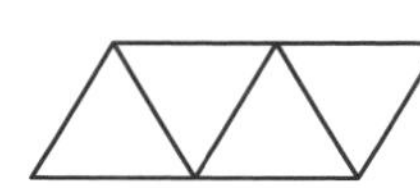

い

う

え

こたえ

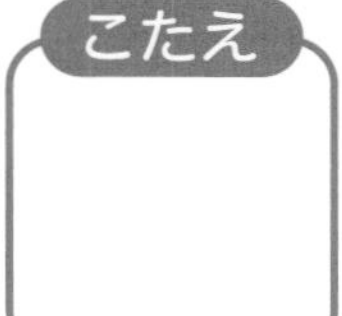

366日目

色がついているところの広さがちがうのは、どれかな？

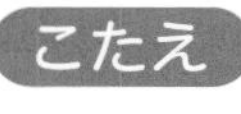

こたえ

あ

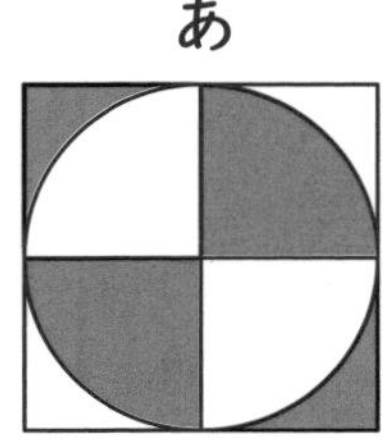

い

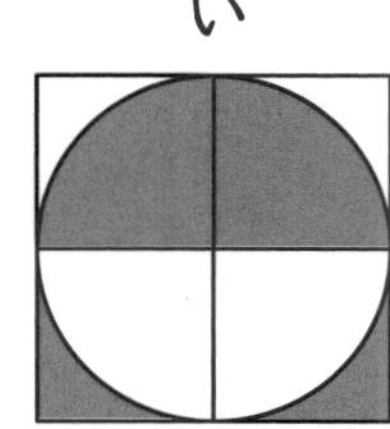

う

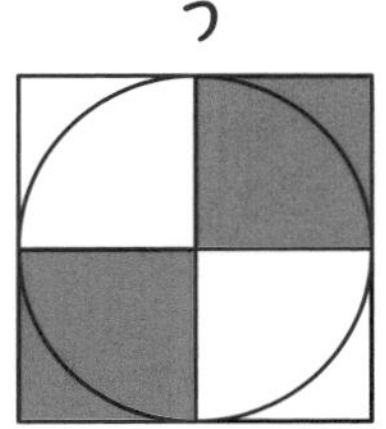

え

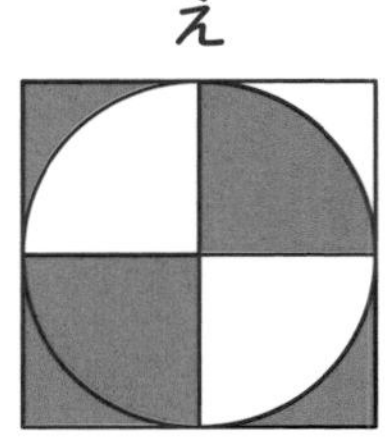

123ページの解答

358日目

う

359日目

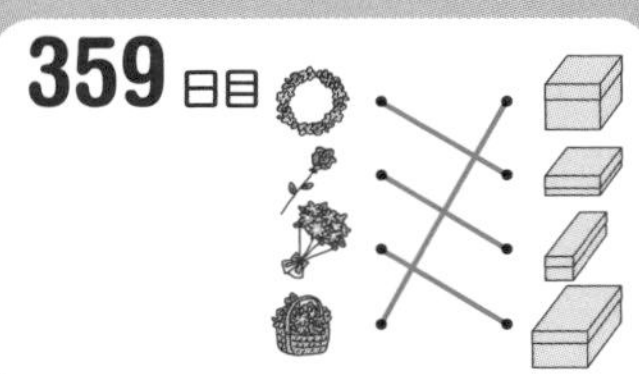

360日目

①ーえ ②ーい
③ーう

解答の補足

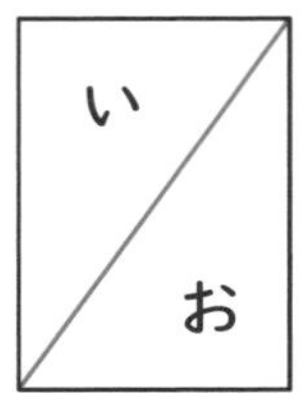

80日目

あ（乗用車）、い（オートバイ）、う（バス）の乗り物と、え（扇風機）の家庭用電気機器（家電）を区別する考え方を想定しています。

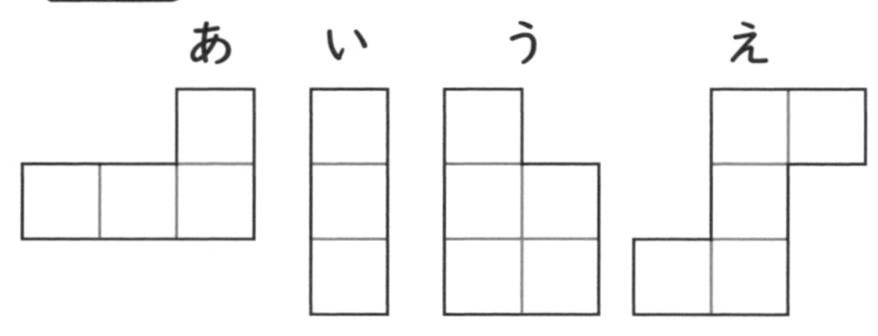

103日目

別の書き方の例

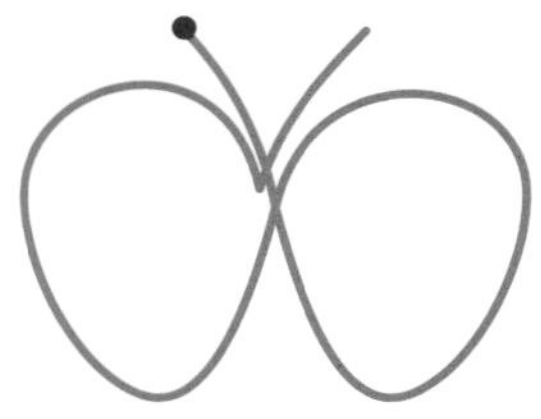

（ほかにも書き方があります）

111日目

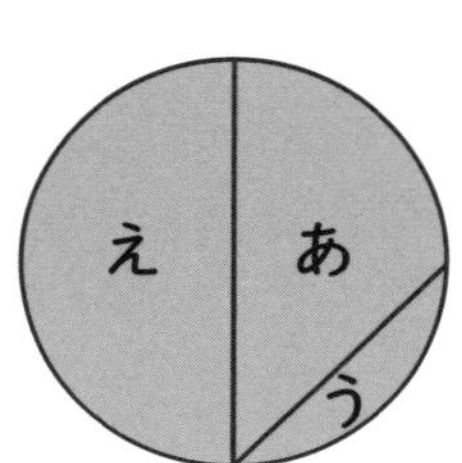

135日目

数合わせだけでなく、モップ、スポンジ、バケツ、ほうき、ちりとり、ぞうきんなど、「これは何かな？」と、それぞれの道具の名前を子どもに聞くなどして、話を発展させてみましょう。

141日目

別の書き方の例

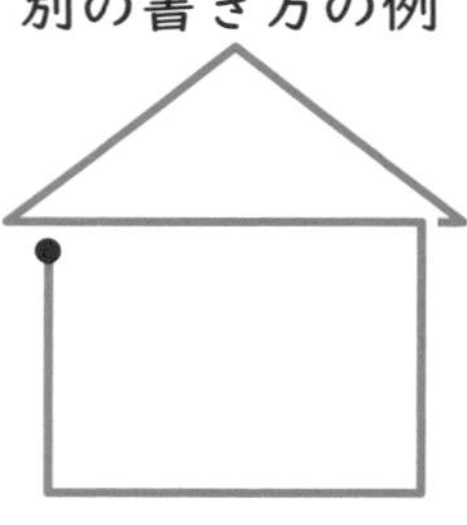

168日目

あ（洗濯ばさみ）は洗濯などの主に家事で使うもの、い（つめ切り）、う（耳かき）、え（くし）は主に身だしなみを整えるときに使うものという考え方を想定しています。

176日目

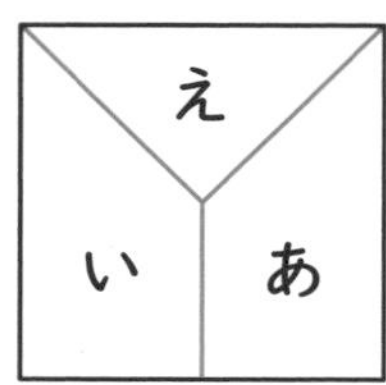

180日目

自転車とヘルメット、ほうきとちりとり、急須と湯飲み、テレビとリモコンの組み合わせを想定しています。「お茶を淹れて、これで飲むんだね」など、用途や理由なども話し合ってみましょう。

187日目

「ゆびわ」→「わに」→「にわとり」→「りす」→「すいか」を想定しています。ライオンは「ン」で終わるので、途中には入らないことに気づくことができれば、より早く解答できるでしょう。

196日目

あ（乗用車）と、い（消防車）、う（救急車）、え（パトロールカー）の緊急車両（あるいは、いわゆる『働く車』）を区別する考え方を想定しています。

199日目

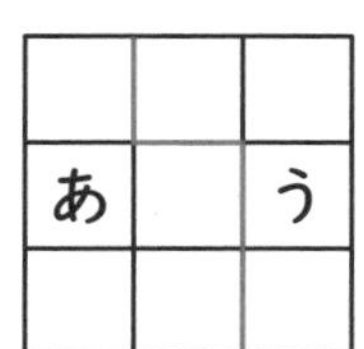

224日目

別の書き方の例

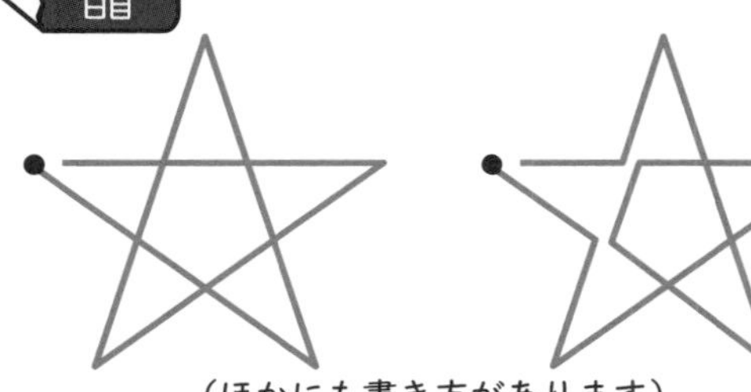

（ほかにも書き方があります）

246日目

展開図の理解は、大人でも難しいものです。駄菓子の箱や方眼紙を利用するなどして、実物を見ながら確認すると、理解が進むでしょう。

247日目

あ（広く捉えて『飲み物』）と、い（ピザ）、う（ハンバーグ）、え（ミートスパゲッティ）の「食べ物」を区別する考え方を想定しています。

319日目

「かさ」→「さかな」→「なす」→「すずめ」→「めがね」→「ねこ」→「こうもり」→「りす」を想定しています。「ゴール」から、「りす」→「こうもり」→「ねこ」→「めがね」……と逆方向にたどる方法にチャレンジしてもおもしろいでしょう。

338日目

「プールサイドで見守る教員が冬の身なりをしている」「子どもが長靴を履いたまま泳いでいる」「鳥が水中で飛んでいる」「子どもが水面に立っている」を「おかしなところ」と想定しています。正しい・正しくないの価値観はさまざまですので、子どもが別の指摘をしても一概には否定せず、まずは耳を傾けてみましょう。

344日目

「いす」→「すいか」→「かまきり」→「りんご」を想定しています。「いす」と「すいか」、「すいか」と「かまきり」、「かまきり」と「りんご」というように、しりとりでつながる絵同士を線で結んでいくと、よりわかりやすくなるでしょう。

365日目

「見本」の立体は「正四面体」を想定しています。低年齢の子どもには難易度の高い問題ですが、方眼紙などで正三角形を切り出し、それらを組み合わせて確認するなど、理解をサポートしてあげましょう。

【監修者紹介】

市川 希（いちかわ・のぞみ）

知能研究所所長。1995年、東京大学工学部卒業。自らも２歳の頃より知能教育を受けて育つ。小学校受験用教材「ミネルバ」、小学校低学年用知能教育教材「パスカル」シリーズなどの教材を考案・開発。同研究所にて理論研究、教材開発の中心的な役割を担う。近年は「右脳＋左脳」シリーズなど、幼児用脳トレドリル・雑誌記事などの執筆・監修を数多く務める。

主な著書に『右脳＋左脳ドリル』シリーズ、『あそびとまなびのたからばこブック』シリーズ（以上、ひかりのくに）、『思考力・発想力をダブルで伸ばす パスカルパズル』シリーズ（ナツメ社）、監修商品に『考える力をぐんぐん伸ばす！ DS幼児の脳トレ』（ニンテンドーDSソフト）などがある。

装　幀◎朝田春未
装　画◎わたなべふみ
本文イラスト◎池田蔵人・朝田春未
本文組版◎朝田春未
編集協力◎株式会社ワード

１日１分で子どもの「考える力」が育つ右脳ドリル366

2021年７月13日　第１版第１刷発行

監修者　市川 希
発行者　櫛原吉男
発行所　株式会社PHP研究所
京都本部　〒601-8411　京都市南区西九条北ノ内町11
〔内容のお問い合わせは〕教育出版部 ☎075-681-8732
〔購入のお問い合わせは〕普及グループ ☎075-681-8554
印刷所　図書印刷株式会社

ISBN978-4-569-85006-1